LETTRES NÉERL

série dirigée par Ph

UNE ANNÉE ALLEMANDE

DU MÊME AUTEUR

RITUELS, Calmann-Lévy, 1985.
MOKUSEI ! : une histoire d'amour, Actes Sud, 1987.
DANS LES MONTAGNES DES PAYS-BAS, Calmann-Lévy, 1988.
LE CHANT DE L'ÊTRE ET DU PARAÎTRE, Actes Sud, 1988.
LE BOUDDHA DERRIÈRE LA PALISSADE, Actes Sud, 1989.

ISBN 2-86869-619-8

Cees Nooteboom

UNE ANNÉE ALLEMANDE

CHRONIQUES BERLINOISES 1989-1990

traduit du néerlandais sous la direction de Philippe Noble
avec la collaboration de
Raymond et Jacqueline Dubosq
Christophe Després
Marie-Noëlle Fontenat
Isabelle Longuet
Selinde Margueron
Danielle Thoreaud
Willem van den Brul

à Willem Leonard Brugsma

PROLOGUE

1963

POSTE FRONTIÈRE

[13 janvier 1963] Des deux côtés de l'*Autobahn*, des paysages blancs fuient vers d'autres morceaux d'Allemagne. Voilà une pleine journée que nous roulons sur cette route, la plus irréelle d'Europe, une route traversant un pays qui n'existe pas. Ni villes ni villages, des panneaux seulement, des stations-service, *Tankstellen*, et des restoroutes, *Rasthäuser*. On ne traverse pas un Etat, on se déplace à la surface de la terre. Il faut attendre Helmstedt pour que passé et politique rejoignent leurs symboles, sentinelles, postes de garde, drapeaux, barrages et pancartes. Lentement elles dérivent vers nous, les petites baraques, et dans l'air gelé s'agitent mollement les drapeaux de l'Amérique, de l'Angleterre, de la France. Comment, il y a trente ans, aurait-on pu expliquer cet avenir à un Allemand ?

Ici, le contrôle est simple. Un dernier panneau nous avertit, afin que nul ne s'y trompe : nous quittons l'Ouest et entrons dans l'Est. Les mêmes uniformes allemands, dans une autre version. On nous fait descendre de voiture et on nous dirige vers une baraque. Pensée puérile : *C'est donc cela ?* On écarquille des yeux gourmands, mais qu'y a-t-il à voir ? Je rejoins une courte file d'attente devant un comptoir bas. Derrière, à une table, un homme et une femme. L'homme en uniforme, botté, souffle de petits nuages de fumée. Il a froid. C'est qu'il fait froid dans la pièce. La femme, plus proche du grand poêle de faïence, feuillette mon passeport. Son regard va et vient de ma photo à mon visage. C'est bien moi. Quelle somme d'argent ai-je sur moi ? La voilà notée sur un petit papier grisâtre, avec double carboné. Et un appareil-photo ? Et un poste de radio ? Et des devises étrangères ? Et de la menue monnaie ? Tout est noté, je n'ai plus qu'à signer. Passeport et papier disparaissent, transférés vers un autre service. La copie est déposée dans un tiroir. Me voilà classé ici pour l'éternité avec mes quatre cent cinquante marks, mes dix-huit florins, mes vingt francs belges. Par la vitre à demi envahie de givre, je vois des arbres, couverts de neige, un haut mirador constitué de gros troncs. Il est inoccupé. On me donne un formulaire rose, à remplir dans une autre pièce. Il y a des chaises métalliques, mais il fait trop froid pour s'asseoir. Au bout d'un moment on me rend mon passeport, j'ai une somme à verser. Sous la petite table de bois, je vois les larges bottes noires de la femme qui raclent le plancher. Qu'y avait-il donc à voir ? Rien, un contrôle d'une précision quelque peu irréelle, qui dure aussi longtemps pour eux que pour nous, et ce n'est pas peu dire.

Je prends un journal sur une pile disposée devant nous. La mise en pages copie ironiquement le style sensationnel et braillard de la *Bildzeitung* ouest-allemande et le journal s'intitule d'ailleurs *Neue Bildzeitung*. L'exposition agricole de la RDA à Tamalé (Nord-Ghana) attire chaque jour de nombreux visiteurs africains. Et le problème de la réunification des deux Allemagnes doit être résolu par des voies pacifiques, a déclaré à Dar es-Salaam le vice-président du Tanganyika. Dans les pages intérieures, une sculpture moderne voisine avec une sculpture est-allemande. Question : qui préserve le mieux l'héritage de la *culture nationale* allemande ? Je lance un nouveau coup d'œil aux contrôleurs en uniforme et me demande dans quelle mesure ils se sentent encore concernés par la culture

Le mur pris de Lubars, Berlin-Ouest, avril 1989.

nationale allemande. Au mur, déclarations d'Ulbricht et d'autres : la paix, la productivité, la démocratie. Derrière la porte, la bise coupante nous cueille, et elle s'offre à nous comme sur un plateau, cette terre frontalière. On ouvre et on inspecte des voitures, des gens montrent leurs papiers, un soldat russe arpente la neige, il flotte ici d'autres drapeaux, des drapeaux rouges, un officier téléphone d'une guérite, des barrières se lèvent et s'abaissent l'une après l'autre. Je lis les panneaux : "Ne vous prêtez pas aux provocations contre la RDA. La RDA a sauvé la paix en Allemagne." Grandes photos d'ouvriers près d'un haut fourneau. Grands portraits d'Ulbricht. Voilà : tout est gris, gelé et incroyablement allemand.

On nous autorise à passer. Inspection du passeport, barrière levée, nouvelle inspection, nouvelle barrière. Et soudain, nous en sommes sortis. Le même paysage de neige, toute anecdote aussitôt oubliée, se déroule jusqu'aux lointains embrumés. A droite, dans les bois, miradors et barbelés. Et soudain, sur un petit pont, l'image sinistre de deux hommes en anoraks blancs, encapuchonnés, bonshommes de neige entraînés par un chien noir qui halète, langue pendante. Ils portent de longs fusils sur l'épaule et disparaissent dans le bois avec leur chien, ces chasseurs d'hommes. Nous roulons toujours sur la même *Autobahn*. Parfois, dans le lointain, l'ombre d'un village, agglomérat de fermes autour d'un clocher. Que font-ils, là-bas, en ce moment ? Une seule fois, des cris d'enfants, unique mouvement, trouvaille du peintre. Et à intervalles réguliers, des panneaux : "Nous saluons les délégués du VIe congrès du SED !" Ici, l'*Autobahn* n'a pas changé depuis Hitler, on le sent : après chaque plaque de béton un petit cahot, une rainure de goudron. A moins qu'il ne s'agisse des hachures que l'on voit sur les cartes, dans les livres d'histoire ? Ces fines rayures qui indiquent autant de conquêtes, de déclins et de bouleversements ?

Empires romains qui furent Saints, Principautés, Républiques, Gaus, Reichs Millénaires, Zones ? Luttant contre la fureur aveugle des bourrasques de neige, nous progressons lentement, créatures micromaniaques, scarabées griffant ce champ couvert de signes par l'histoire, et où l'on ne voit rien.

UN SOIR A BERLIN-EST

[15 janvier 1963] On imagine la situation dans l'antiquité grecque, ou dans toute autre antiquité : une ville partagée en deux par un mur. Situation entourée de légendes et de récits, évoquée par un proverbe à moitié tombé en désuétude, une comédie de Tirso de Molina retrouvée dans un coin de la bibliothèque de Salamanque, une adaptation de Molière et plus tard, bien sûr, quelques heures de Cinérama, une anecdote où les symboles poussent comme l'herbe folle, patrimoine culturel. Mais le genre d'antiquité que nous connaissons ne remonte généralement pas au-delà de quelques milliers d'années – l'âge que nous atteignons nous-mêmes, dans la série emboîtée des civilisations auxquelles nous continuons d'appartenir. C'est pour cela, peut-être, qu'un air d'indécrottable antiquité s'attache à nos comportements, un aimable archaïsme qu'aucun voyage dans la Lune n'annulera jamais. Il suffit de s'arrêter devant ce mur et de fermer à demi les paupières : agitation de lansquenets médiévaux qui vous crient “Halte” et vous arrêtent, remontent un pont-levis ou une barrière, et vous voilà dans le Pays des Autres. Celui qui sait parcourir des millions de kilomètres en quelques jours, qui rend visite aux planètes et scinde les atomes est également capable, désormais, d'élever un mur de deux ou trois mètres infranchissable pour lui, comme il l'aurait été pour un Egyptien ou un Babylonien ; le voilà comme un homme du Moyen Age obligé de déposer ses armes aux portes de la ville, comme un Athénien qui se noie dans la Sprée, comme un Européen qui passe de Berlin-Ouest à Berlin-Est.

Berlin-Ouest. On suit le Kurfürstendamm paré de hautes lumières blanches, jusqu'à l'église du Souvenir, rongée et mutilée, et on poursuit sa route. A sa grande surprise, on s'aperçoit qu'à l'Ouest aussi, il y a des ruines, superbes monuments évidés avec leurs fenêtres béant sur des pièces absentes, caillots de guerre, portes murées d'où père ne sort plus jamais en souriant avec Werner, le chien. L'unique passage ouvert aux non-militaires non allemands (!) est celui de la Friedrichstrasse, mais nous nous trompons de route et aboutissons près de la porte de Brandebourg. Neige et clair de lune. Sur le champ pétrifié qui s'étend devant elle, ni hommes ni voitures. Au bout du champ, les colonnes noires, couronnées du char triomphal. Des chevaux furieux emportent un personnage ailé qui, haut dans le ciel, brandit une couronne de laurier en direction de l'Est. Au-dessous, montant jusqu'au quart des colonnes, les dents aveugles du mur. Un policier ouest-allemand nous arrête, nous fait comprendre qu'il est interdit d'aller plus loin. Nous restons donc sur place et regardons ce qui ne se passe pas. Deux chars russes sont perchés sur d'imposants piédestaux, souvenir de 1945. Nous voyons les deux sentinelles russes, silhouettes parmi le marbre.

La Friedrichstrasse n'est pas loin. Même contrôle qu'à Helmstedt, papiers, formulaires, argent compté et recompté, barrières, une gravure classique où nous nous faufilons aussi humainement que possible. La rue est barrée par deux petits murs bas construits en chicane : une voiture qui voudrait les franchir à grande vitesse serait obligée de faire deux folles embardées. Quand tout le sable allemand est enfin passé au crible, on nous autorise à traverser, et la ville reprend comme reprennent les villes au-delà des murs : identique, mais différente. Question d'hypersensibilité, peut-être, mais il règne ici une autre odeur, et les tons sont plus bruns. Nous avançons au petit bonheur, Wilhelmstrasse, Unter den Linden, des noms qui ne m'ont jamais touché de près, mais qui empruntent à la façon dont d'autres les prononcent un accent particulier, un parfum mélancolique ou non. Rien d'étonnant à ce qu'Unter den Linden ait toujours évoqué pour moi un vert très tendre, un vert tilleul. Plus surprenant est que, de prime abord, j'attribue l'absence de ce vert à autre chose qu'à la saison. Des bâtiments, des ruines aussi parfois, des rues, la Karl-Marx Allee bordée de hauts immeubles. Peu de circulation. Beaucoup de publicités lumineuses. Suis-je déçu ? Attendais-je un décor plus dramatique ? Mais de quel droit ? Devant un monument deux soldats, pétrifiés, montent la garde. Près de l'Alexanderplatz un train à vapeur passe sur un viaduc, rien d'autre à signaler – si ce n'est, çà et là, des panneaux portant des slogans qui n'ont pas vraiment l'air d'être lus, mots d'ordre qui ne parlent qu'à eux-mêmes.

Nous allons dans une boîte de nuit. Tous les clubs et les restaurants importants portent ici les noms de capitales du pacte de Varsovie. Le nôtre s'appelle Budapest. Il est bondé. Deux hommes – ce ne sont pas des Allemands – forment un minuscule orchestre et jouent des mélodies enjouées. On twiste. L'atmosphère est provinciale, et pas très gaie. Beaucoup de filles seules. Derrière nous, à une table, trois jeunes officiers de l'armée populaire. Ils boivent une bouteille de vin rouge de Bulgarie. L'un d'eux se dresse, lève son verre et dit : "*... Meine Herren, zum Wohl* * *!*" Un serveur porte une veste aux couleurs de l'armée de l'air... et ainsi de suite. Non, vraiment, rien à signaler. On nous regarde comme on le ferait à Limoges ou à Nyköping, mais impossible

* "... Messieurs, à votre santé !" *(N.d.T.)*

d'esquiver les questions sans réponse que nous continuons à nous poser. Combien de personnes, dans cette salle, ont des parents à l'Ouest ? Combien d'entre elles voudraient partir et combien voudraient les en empêcher ? Questions rhétoriques qui, une demi-heure plus tard, lorsque nous quittons l'Est par le même poste de contrôle, reçoivent une réponse sous la forme d'un imprimé de facture orientale. Il s'agit d'un petit tract orange, dont le titre rappelle le catéchisme : *Ce que je dois savoir du mur*, et dont le texte comporte dix alinéas. 1. *Où se trouve exactement Berlin ?* 2. *Le mur est-il tombé du ciel ?* 3. *Fallait-il construire le mur ?* 4. *De quoi le mur nous a-t-il préservés ?* 5. *La Paix était-elle donc vraiment menacée ?* 6. *Qui vit derrière le mur ?* 7. *Qui sont ceux qui rendent impossible le contact entre parents et amis ?* 8. *Le mur menace-t-il qui que ce soit ?* 9. *Qui aggrave la situation ?* 10. *Le mur est-il un instrument de culture physique ?*

A cette dernière question, la réponse n'est pas d'une grande aménité : *Nous le disons très franchement : Non. Ce mur de protection constitue la frontière nationale de la RDA. La frontière nationale d'un Etat souverain doit être respectée. Il en est ainsi dans le monde entier. Ceux qui ne se tiendront pas à cette règle ne devront pas se plaindre s'ils ont à en subir les conséquences.*

P.-S. Quelques arrière-pensées : 1. Dans quelle mesure le mur est-il vu d'un bon œil à Bonn ? Si l'Allemagne de l'Est s'était entièrement vidée – or c'était bien la tournure que semblaient prendre les événements – cet arrière-pays déserté se serait aussitôt peuplé de Slaves. Perspective peu attrayante pour des Allemands qui continuent à rêver de réunification. 2. Dans quelle mesure le mur est-il vu d'un bon œil à Moscou ? Ulbricht est-il un alié beaucoup plus présentable que pour nous, par exemple, Salazar ? 3. Le côté terriblement allemand de ce mur. Comme le disait un chauffeur de taxi de Berlin-Ouest : Ceci n'aurait pu arriver à aucun autre peuple.

UN APRÈS-MIDI ALLEMAND

[17 janvier 1963] trois heures de l'après-midi. Cinglés par de longs fouets de neige, nous traversons la place vide de la gare. Le hall, nu, couleur de béton et sentant l'Allemagne de l'Est, est encore désert. Quelques reporters anglais, italiens et américains tapent du pied dans ce grand vide, se nourrissant de la rumeur : Nikita Sergeïevitch Khrouchtchev va arriver à trois heures, à quatre heures, à cinq, six ou sept heures. Le froid est indescriptible.

Nous déambulons de long en large, constamment suivis par les regards curieux, tantôt timides et tantôt agressifs, des Allemands de l'Est présents dans la salle des pas perdus. Elle est superbe. De longues lances dorées supportent les bannières couleur sang, rouge et or que l'on voit flotter aussi de Berlin-Ouest, de l'autre côté du mur, au-dessus des bâtiments les plus élevés et des usines, oriflammes de la lune, drapeaux de l'inaccessible. Plantées obliquement dans le sol, elles ont l'air de lances médiévales, attendant un tournoi suranné. Un travailleur s'affaire à apporter de petits pots de fleurs et à en garnir le podium. Khrouchtchev, sans nul doute, trouvera cela ravissant. Et c'est vrai qu'il est superbe, ce décor de représentation de patronage, avec ses murs tendus de toiles colorées, ses plantes toutes raides dans leurs pots, et au milieu cette tribune façon contre-plaqué où, tout à l'heure, quelqu'un prononcera des paroles que l'on n'entend généralement pas dans les représentations de patronage.

Voici qu'un vieil homme se hisse derrière les micros et lance avec application : *Eins, zwei, drei !* Sa voix roule dans l'espace sonore. Derrière moi, juchés sur de hauts échafaudages gris, les

Marx, bas-relief, Berlin-Est.

cameramen de la télévision est-allemande, bonshommes ternes en bonnet de fourrure, règlent leurs instruments. Ils sont là depuis 6 heures ce matin. Plus un coin où n'ait pénétré le froid. Les Italiens, surtout, en souffrent, et ne le laissent pas ignorer. Je continue à tourner en rond et lis les slogans de bienvenue, de satisfaction et d'exhortation qui infestent non seulement la gare, mais la ville entière. *En l'honneur du VIe congrès du parti, pour les prouesses scientifiques et techniques**.

Il n'existe pas de mots pour traduire la réalité de bois qui règne ici. C'est un monde arriéré, puéril et démodé, mais ce monde existe, et son existence a ses raisons. Et ce qui produit l'aliénation, c'est précisément cette réalité, ce passé d'enthousiasme aujourd'hui momifié, et qui prétend annoncer un avenir. Cerné par les lambeaux d'un messianisme sclérosé, et de ce fait devenu dangereux, je me meus dans cet avenir en parfait étranger ; on dirait que j'y suis déjà depuis un mois, ou un an.

Parfois, on perçoit les signes d'un événement imminent. Des officiers allemands donnent des ordres en allemand à des soldats allemands, on se range en ordre de bataille sur les marches, ce qui provoque un petit tourbillon de foule – mais les hommes de troupe disparaissent par une issue tapissée d'autres slogans, et nous abandonnent à notre attente. Un journaliste ouest-allemand a engagé une triste conversation avec un Allemand de l'Est. Je les observe à un mètre de distance. C'est une conversation absurde. Un mur s'élève entre ces deux compatriotes, un mur que rien, sinon des balles, ne peut plus traverser. Idées et arguments viennent y ricocher et s'écrasent à nos pieds sur le sol qu'ils jonchent, fragments à ramasser : des Globkes et des murs, des

* En allemand dans le texte : *Ganz zu Ehren des sechsten Parteitags dem wissenschaftlichen-technischen Hochstand. (N.d.T.)*

Adenauers et des fugitifs abattus dans l'eau, l'incessante expiation du passé – les étrangers font cercle, regardent et ne disent mot. Cinq heures passent, six heures. Soudain le hall se remplit. Les projecteurs de la télévision s'allument et commencent à scintiller : visages blancs, manteaux de cuir allemands. Petits groupes de femmes agitant des drapeaux rouge pivoine. Les journalistes, qui n'ont pas reçu de place réservée, se retrouvent dispersés dans la foule, mis en minorité. Une longue colonne de cadets fait son entrée au pas de l'oie. Sur un ordre qu'ils reçoivent, ils se mettent en devoir de pétrir la multitude. D'abord d'un côté, puis de l'autre. Je suis à demi aplati contre l'échafaudage de la télévision, où un soldat vient m'empoigner pour me repousser un peu plus loin. A la fin, je me retrouve assez loin de la tribune, encadré d'hommes grands, massifs, tenant dans des doigts surdimensionnés leurs ridicules petits drapeaux rouges. Des haut-parleurs haut perchés crachent une musique militaire geignarde, enchaînant un disque après l'autre. Des cris et, à petits pas pressés, le petit Ulbricht, l'homme au visage irréparable, s'avance devant le peuple assemblé. Derrière lui, tous les autres, Bulgares et Mongols, Tchèques et Allemands, un groupe compact d'hommes solides qui gravissent en cordon l'escalier que deux vieilles femmes viennent de balayer pour la dixième fois. Un tapis rouge pour contenir le froid, une haie de cadets pour protéger la vie, derrière moi, des Allemands s'interpellent : *Hut ab !*, "Chapeau !", et soudain, un silence né de l'arrêt de la musique : le petit Russe descend les marches, entouré de la cohorte de ses fidèles, dirigeants d'un monde qui commence à Helmstedt et finit à Shanghai. Le petit bonhomme, son visage rond très blanc sous la lumière des projecteurs qui le fixent, répond par des saluts aux cris de la foule : *Droujba, droujba, droujba !* Comme sous une énorme vague de chaleur, l'air vibre de mille drapeaux de papier, un groupe d'Algériens lance son cri de bienvenue, puis retombe un silence d'expectative et c'est le signal des salutations protocolaires des premiers secrétaires de comités centraux – d'anciens titres, longs comme le bras, ont fait place à de nouveaux, longs comme des jours sans pain, et dont pas un n'est oublié.

Chaque nom traîne après lui une comète d'applaudissements, je me dresse sur la pointe des pieds et contemple le groupe que forment ces "syndics des drapiers" sur leur tribune illuminée. Le petit Ulbricht s'avance, reçoit une embrassade et, d'un timbre prude et saxon, entame une allocution que l'on écoute poliment. Khrouchtchev prend alors la parole. Sa popularité auprès des hommes du parti réunis dans cette salle ne fait aucun doute. Il faut dire qu'il est difficile d'échapper à la puissance de cette voix. Elle est profonde et archaïque, elle roule, elle argumente, elle convainc, elle raille, elle raconte, elle menace. En surimpression, l'organe plaintif et suraigu de l'interprète souligne de traits rouges, à l'allemande, son discours. Soudain, me regardant moi-même au milieu de cette foule dont rien ne me distingue sinon la coupe de mes vêtements, je songe que j'aurais très bien pu venir ici pour pousser des cris et entonner un chant allemand, en vrai membre du parti – et je me vois moi-même devenu foule, je me vois comme les autres ne sont plus capables de se voir, je me vois devenu foule parce que je suis là, que je contribue au même titre qu'eux à remplir ce hall de gare, et le seul fait de regarder la scène et d'écouter ces clameurs allemandes au passé plutôt chargé suscite un sentiment de ridicule solitude, et de crainte devant un monde dont l'existence s'impose avec tant de force que nous n'avons presque plus rien à lui dire. Lorsque je sors de la gare, la neige tombe toujours. Sur la place vide, un long cordon d'officiers se découpe contre le blanc de cette neige. Je fais un détour par des rues obscures, totalement désertes, où pendent des drapeaux désormais noirs, et j'arrive à ma voiture. Une demi-heure plus tard, je suis à l'Ouest. Pas plus difficile que ça.

UN DISCOURS D'ULBRICHT

[19 janvier 1963] Camarades, vous allez entendre le discours de clôture du premier secrétaire du comité central du Parti socialiste unifié allemand, Walter Ulbricht. Les journalistes réunis dans le luxueux centre de presse de Berlin-Ouest, nonchalamment installés dans leurs fauteuils, voient ce qu'ils ont déjà vu si souvent cette semaine : l'immense salle de réunion où se rassemblent les quatre mille cinq cents délégués des partis communistes de soixante-dix pays. Entre deux haies humaines, Walter Ulbricht s'avance à pas pressés, sa tête vient cacher la tête de marbre blanc de Lénine. Il commence à parler. Son front luit un peu, la lumière scintille dans les verres de ses lunettes. Pour Ulbricht, c'est un bon discours. Il manie les articles de foi bien connus d'un ton détendu, se permettant même parfois quelques digressions bavardes et d'un humour un peu balourd.

L'atmosphère est extrêmement cordiale, presque touchante. Derrière Ulbricht, son ami russe, un fil pendu aux oreilles, par où s'insinue une voix traduisant, voix russe. La caméra ne s'éloigne que rarement de l'orateur pour balayer les rangs des délégués, j'en reconnais quelques-uns, mais non la plupart. Les Chinois n'apparaissent pas une seule fois à l'image – mais n'était-ce pas ce matin même que tous ces hommes affables, debout à leur place, hurlaient et sifflaient lorsque le délégué chinois, en dépit d'un appel de Khrouchtchev à la détente, lança une nouvelle attaque contre l'Union soviétique, par le truchement du révisionnisme yougoslave ? Ulbricht n'y revient pas. Il pense que tout finira par s'arranger ; oui, tout finira sans doute par s'arranger, et puis en Occident aussi la discorde règne, voyez de Gaulle.

Il est aussi enjoué que sa république est lugubre. Non, l'Allemagne n'est plus le plus occidental des pays socialistes, c'est Cuba désormais et cela présente un grand avantage, car aujourd'hui l'Allemagne est beaucoup plus proche de l'Amérique. Comment ? Mais par le biais de notre ambassadeur à La Havane ! Rires. Il retrouve plus de sérieux pour évoquer le programme de son parti. Une fois de plus, il apparaît qu'on ne peut espérer se débarrasser du problème de ce monde-là par des insultes, pas plus qu'on ne peut espérer y être associé en lui témoignant une sympathie bêlante. Là-bas, dans cette salle, règne une invraisemblable certitude d'avoir raison. De nos fauteuils, nous en sommes les spectateurs, à un ou deux kilomètres de là. Et le circuit de télévision nous envoie ces déferlantes, la puissance du prolétariat, la construction du socialisme, la transition au communisme, les articles de foi.

Entre tout cela et nous il y a le mur, ce document de pierre. Mais là-bas, ce document ne signifie rien, tout au plus souligne-t-il leur certitude. Ils vont eux-mêmes le voir, comme les journalistes occidentaux, et ils serrent la main de touristes français, en saluant de loin les spectateurs. Ils sont sûrs de leur fait.

Une comparaison s'impose, celle d'une Eglise. Une foi s'est incarnée dans un Etat, puis dans beaucoup d'autres. Le dogme, de ce fait, ne pouvait rester inchangé, schismes et scissions divisent aussi cette salle, et c'est cela aussi que nous observons, la pratique de la certitude, un livre de Marx, d'Engels, de Lénine, qui a pris la forme de Cuba, de l'Allemagne de l'Est, de la Corée du Nord, de cette salle où le petit homme, parfois, lorsqu'il se penche d'une certaine façon, ressemble soudain à un nègre ; celui-ci, dans un allemand plutôt lent, parle d'ingénieurs et de travailleurs, s'émeut lorsqu'il évoque le pur bonheur du travail, la joie qu'apporte la construction d'une usine, ne trouve plus ses mots et préfère, dit-il, laisser aux écrivains le soin de la décrire, la vraie vie, la félicité du travail.

Et de nous servir de nouveaux contes de ce nouveau folklore, le professeur qui parle à de jeunes agronomes, l'écrivain qui reçoit une réprimande parce qu'il s'est trop écarté de la vie, et surtout parce qu'il n'a appris aucun *vrai* métier. La salle rit et applaudit, de temps à autre la caméra fond sur un visage, sérieux, réjoui, enthousiaste, ennuyé ou marquant à tout le moins un désaccord. Je regarde et je pense : Voilà l'homme qui représente, peut-être, le pays le plus odieux du monde. Mais il est là et bien là, il s'adresse aux Allemands de l'Ouest, il les invite et les réinvite à venir à l'Est et à parler aux ouvriers et aux paysans, mais que croit-il donc qu'ils verront, ces gens de l'Ouest qui iront faire un tour à l'Est ?

Un pays, dit-il, où tout est propriété collective et il brode un moment sur ce thème, sermonnant au passage exploiteurs et militaristes, et tandis que cette voix poursuit son vagabondage et que la caméra scrute les délégués, nous nous sentons repris comme toujours, dans notre salle de presse, par un sentiment de complète aliénation, mot à la mode, désormais capable d'exprimer la peur, le dégoût ou une incompréhension totale. Ces gens que nous voyons gouvernent un tiers de l'humanité, selon une idéologie atteinte de tous les symptômes de la sclérose, une idéologie qui a cessé de fleurir et ne semble parfois même plus assez vivace pour continuer à s'affirmer selon les recettes traditionnelles. La seule réponse à apporter à cette sclérose qui sévit de l'autre côté du mur consiste à ne pas nous ligoter nous-mêmes par une sclérose plus grande encore. C'est une expérience instructive d'assister à un congrès comme celui-ci.

Le communisme alimente tant de livres que beaucoup de gens ont probablement oublié qu'il existe, qu'il est aussi une réalité. Et la teneur de cette réalité, actuellement, est une gigantesque introspection, avec la détente dont elle s'accompagne.

Aujourd'hui, dans le camp communiste, les opinions divergent sur tous les points importants, le capitalisme, la guerre, la révolution, le schisme. Lorsque Khrouchtchev affirme que le but poursuivi par la classe ouvrière n'est pas une mort spectaculaire, mais la construction d'une vie heureuse, Mao lui répond qu'une guerre s'achèverait inévitablement par l'écrasement de l'impérialisme (nous) et la victoire du socialisme (eux).

Jusqu'à présent, l'une des principales réactions occidentales s'est bornée à une indifférence satisfaite devant ce dialogue fondamental. C'est aussi pourquoi tant de journalistes n'ont pas tardé à quitter ce congrès au déroulement lent, sans drame, qui sur ce point, du moins, n'a apporté qu'une déception.

1

Jadis, une fois, la première fois. J'avais pris avec Eddy Hoornik et W.L. Brugsma la route de Berlin. L'occasion : une visite de Khrouchtchev, un congrès du parti communiste est-allemand. C'était la première fois que je me rendais dans un pays de l'Est depuis les événements de Budapest en 1956, sept ans auparavant. Dans ma pensée politique, qui procédait encore largement du sentiment, Budapest avait constitué une ligne de partage des eaux. J'avais retrouvé l'odeur de la guerre et j'avais quitté le pays avant que ne se resserre le mouvement de tenaille amorcé par les troupes russes en direction de la frontière, taraudé par le sentiment que nous avions trahi, que j'en étais complice et que je laissais derrière moi un monde qui allait se refermer définitivement.

Cette fois-là, en 1963, je reprenais la direction inverse et cela aussi s'accompagnait d'un sentiment : la peur. C'était bien là le "royaume interdit", que protégeaient des gardes, des chiens, des tours, des barbelés, des barrages. Il faisait froid, c'était le plein hiver. Il y avait de la neige et sur cette neige les chiens, que l'on voyait courir haletant et furetant, étaient lugubres.

A présent, dans ce nouveau présent, celui de 1989, il y a toujours des gardes, toujours des chiens, toujours des barrages, mais le temps annonce le printemps, le poste frontière compte plus de voies de passage qu'alors, la circulation est plus dense et pourtant rien de tout cela ne réussit à être normal. Certes, la peur a disparu, mais la guerre froide et le souvenir de ce qui fut sont ancrés en moi jusqu'aux moelles et, dès l'abord, mon attente est comblée : il me manque un document, une *Genehmigung*, une autorisation, je ne comprends pas tout de suite le vopo qui se met à crier du fond de sa cahute, je dois sortir ma voiture de la file, la garer sur le côté et me rendre à pied jusqu'à une baraque de bois où il me faut payer quelque chose. Rien de bien grave, mais nous y sommes en plein : les vociférations, l'allemand, l'uniforme ; cette guerre me poursuivra toujours.

Pendant le trajet en RDA je fais du cent, l'œil rivé au compteur. Pour deux kilomètres à l'heure de trop, m'ont assuré des amis, "ils" surgissent de derrière un pont, d'un bosquet, d'une maison et votre compte est bon. Mais ce n'est pas l'amende que je redoute, c'est la confrontation à laquelle je me refuse. Tout le monde doit penser de même : comme un liquide sirupeux, la circulation traîne son ennui sur la large autoroute. Arrivé devant la porte de ma nouvelle demeure, j'ai droit aussitôt à une nouvelle mise en condition. A peine ai-je rangé ma voiture pour en extirper mes bagages et ma provision de livres des six mois à venir qu'une fenêtre s'ouvre et qu'une vieille femme déverse sur moi ses imprécations : *Unverschämt !*, "Quel culot !" Voilà, je suis chez moi.

Chez moi : un appartement dans une grande et sombre maison de la Goethestrasse. Des pièces immenses, garnies de poêles en faïence plus hauts que moi mais désaffectés, quadrangulaires idoles. Avant moi a résidé ici pendant des années un écrivain chilien qui, pour le moment, a regagné sa lointaine patrie. *Tempora mutantur*. Il a laissé ici une partie de sa bibliothèque. Je renifle ces livres, comportement canin. Snif, snif, Neruda. Snif, snif, Heine, Kleist. Un *Dictionnaire philosophique* au relent marxiste, Günter Grass en anglais. *Third World Affairs 1987*, beaucoup d'espagnol, beaucoup d'auteurs que je ne connais pas, un *Diccionario de la habla chilena* et, heureusement, beaucoup de poésie.

Les meubles me regardent fixement et je le leur rends bien. Ce sont des meubles de rencontre, on les déplace, on les pousse ou on les tire, ils ne réagissent pas. Ils ne vous ont pas choisi, ni vous eux, ils ont leur mot à dire sur la vie des exilés et ce n'est pas pour me déplaire. Pour moi qui passe ma vie dans les hôtels, cela finit par devenir une situation normale – coucou toujours logé dans le nid d'autrui.

Une œuvre d'art, tableau-objet avec un marteau assez terrifiant mais inamovible, une reproduction de Dufy, deux de Hopper, une sombre toile évoquant des prisonniers et des disparus, un poster de Matisse, l'affiche d'une pièce de théâtre du locataire absent, où une plume d'oie apparemment trempée dans le sang vient d'écrire le mot "liberté". Voici venu le moment de s'installer et de s'accoutumer. Dans la cour de la grande maison, un marronnier qui verdira bientôt.

Conquérir une ville. Comme à la guerre, on procède avec des cartes d'état-major, on explore le terrain. Des amis assurent le service de renseignements. La maison sert de base d'attaque et offre toujours une possibilité de repli stratégique. Moyens de communication : tramway, métro, autobus, pieds. Intendance : où est le marché ? Peu à peu la ville commence à vous coller à la peau, la reconnaissance avance par bribes : le plus court chemin vers les points de repère, bibliothèque, supermarché, musée, parc, mur. Pourparlers, redditions – la maison commence à se comporter en maison, nous en habitants.

Le couloir de la grande maison est sombre, la rampe a une tête de lion, je la caresse tous les jours, le lion commence à me saluer, les autres habitants pas encore. Le facteur est venu nous flairer. C'est un homme long, gris, en uniforme avec casquette, et il parle un dialecte que nous comprenons à peine. La boîte aux lettres est une fente découpée à la scie dans la porte de l'appartement, longue comme la main sur deux centimètres de hauteur. Rien n'y passe ou presque, la liaison avec le pays d'où je viens en souffre. C'est le *Frankfurter Allgemeine* que je lis désormais, une affaire sérieuse. Ce pays ne se traite pas à la légère. La "une" est austère, généralement dépourvue d'illustrations, il est probable que moi aussi je change de tête quand je la lis.

Dans le métro, j'ai vu l'affiche d'un *Gesprächskonzert*, un concert commenté, avec Mauricio Kagel, compositeur argentin qui vit depuis longtemps en Allemagne. J'aime sa musique et, avec Hugo Claus, je suis chargé de faire une traduction du livret de son oratorio *Trahison orale* pour le Holland Festival. Le concert a lieu à l'auditorium de la "Radio Berlin Libre", le *Sender Freies Berlin*. Pour qui vient d'Amsterdam, l'échelle du décor urbain restée saisissante, elles vous écrasent de leurs proportions, ces gigantesques places vides, ces vastes allées. Dans le métro j'ai déjà repéré les autres mélomanes qui se rendent au concert, cela ne rate jamais, je n'ai qu'à suivre : un petit groupe en ordre dispersé, avec un Japonais pour poisson pilote.

Dans l'orchestre il y a évidemment aussi un Japonais, c'est un accord tacite entre les Japonais : dans tout avion, restaurant, orchestre, il faut qu'il y en ait un, désigné à cet effet. En l'occurrence, le Japonais de l'orchestre joue du violoncelle et il le fait admirablement (je m'en aperçois lors de son solo), mais ils jouent tous admirablement. C'est une étonnante soirée. Le compositeur s'est installé sur l'estrade à côté du chef d'orchestre. Il est grand, a un début de calvitie et de grosses lunettes d'écaille. On imagine Pinter assis sur la scène lorsque est donnée une de ses pièces. L'unique morceau de ce concert s'appelle

Quodlibet, "A votre gré", mais ce n'est pas là seulement le titre de l'œuvre, c'est aussi l'appellation du genre. Un *quodlibet* est une forme musicale, essentiellement française, des XVIe et XVIIe siècles, dans laquelle nombre de chansons étaient parodiées à plusieurs voix et interprétées avec malice. Il s'agit bien de polyphonie, en effet, car la cantatrice de ce soir, Martine Viard, est capable d'entonner plusieurs voix et elle ne s'en prive pas. Longue robe bleue, lunettes, elle a un petit air sérieux, mais ses ports de voix suraigus et ses imitations de parades viriles en ruinent tout l'effet.

Le chef d'orchestre s'appelle Gerd Albrecht ; chenu, *bell'uomo*, à la manière d'un chef d'orchestre pour rêves de jeunes filles, il est en même temps particulièrement brillant dans sa "déconstruction" du morceau que constamment il interrompt, démonte, analyse, regroupe. Partant de pièces en ancien français, le compositeur a assemblé un texte contant une histoire d'amour contrarié qui tourne au drame, et qui commence par un haut degré de confusion dans l'esprit de la chanteuse :

> *Ma... ma fantaisie... est...*
> *Est tant... troublée*
> *De quoy faictes si long séjour*
> *Sans venir... sans venir vers moy...*
> *De retour...*
> *J'ay paour que ne soyez changée.*

Dès les premières mesures, le chef d'orchestre s'interrompt et, laissant la voix s'attarder en quelques vibrations, il commence le démontage. Il fait entendre comment s'organisent les différentes strates musicales en les "épluchant" une à une. Et cet épluchage prend un tour diabolique, il me rend à la fois stupide et malin, stupide dans la mesure où je n'avais pas entendu, et malin car maintenant, je sais ce que j'entends. Ce qui était un son composite et harmonieux passe sur le divan de l'analyste. La flûte alto, *ein schwebender, irisierender Klang* –, “un son qui plane et éclate en nuances” –, le flûtiste joue, la mélodie solitaire frémit dans la salle, puis le cor s’y superpose, *klingt unheimlich sinnlich* – “une résonance d’une trouble sensualité” –, puis le piccolo, *klingt nicht ganz so sinnlich* – “pas tout à fait aussi sensuel” –, enfin le jeu des violoncelles, effiloché à son tour fibre par fibre. *Und jetzt lege ich das noch einmal zusammen*, “et maintenant je recompose encore une fois l’ensemble” et, vous l’entendez, c’est un tout petit geste, il disparaît aussi rapidement qu’il s’était amorcé, comme chez Puccini, M. Kagel est bien d’accord ? Oui, M. Kagel est tout à fait d’accord : les choses importantes doivent être brèves, comme en littérature. Jadis il a rêvé d’être écrivain, quand il était jeune, en Argentine. Borges a été son professeur de littérature anglaise, il lui en sera redevable toute sa vie.

Nouvelle “déconstruction” : des mesures à deux temps superposées à des mesures à trois temps, un passage extrêmement bref qui ne s’étend que sur deux mesures, cuivres et piano – les “deux temps” –, au-dessus d’eux les “trois temps” des cors et, brochant sur le tout, la batterie et les clarinettes, de sorte que j’apprends à distinguer définitivement ce que je n’entends pas de ce que j’entends et, pis encore, ce que d’autres entendent et que moi, je n’entends pas. Triste lacune, mais trop tard pour la combler. Kagel parle de sa pratique de l’enseignement, explique comment il oblige ses étudiants à analyser l’action d’un opéra pris au hasard, même s’ils la trouvent absurde. “L’absurdité d’un opéra est un présupposé à accepter, le compositeur doit être son propre dramaturge, voilà ce qu’ils doivent apprendre.” Puis il leur fait étendre trois mesures de Haydn sur huit, ils ont quatre heures pour y parvenir, et apprennent ainsi à “inventer” des rythmes.

Nous revenons à la musique : un passage érotique de la cantatrice, qui passait d’un chevrotement lascif à un bref délire de clameurs orgiastiques, est ramené “de vaginal à virginal” : les mêmes séquences, avec les mêmes notes, sont reprises, mais à la façon d'un enfant de huit ans. L'expérience ne réussit pas à me convaincre, car ce que j'ai entendu auparavant donne à la soudaine voix enfantine une résonance perverse. Ne serait-ce qu'en raison de l'accompagnement de ces glapissements virginaux par le *molto vibrato* des bois les plus graves et du tuba, et sur ce fond de halètement mâle, l'innocence devient aigre et discordante.

Kagel se sent-il bien en Allemagne ? Kagel se sent bien en Allemagne, mais cite une lettre de Max Ernst à Tristan Tzara. “Les intellectuels allemands sont incapables de *faire pipi et caca** sans idéologie.” Le public rit avec distinction, même lorsqu'il ajoute qu'au dire d'Adorno, les Allemands confondent “pesanteur et profondeur”, et pourquoi ne riraient-ils pas ? Il s'agit toujours d'autres Allemands, *eux* sont très capables d'aller aux toilettes sans idéologie.

La musique reprend, le morceau est rejoué dans son ensemble, brillant, animé, excitant, et subitement j'aurais aimé vivre un siècle, deux siècles plus tard et pouvoir l'entendre avec les oreilles de ce temps-là, mais c'est une perspective trop lointaine. Des myriades d'individus auront à s'accoupler et à enfanter pour créer les trompettistes qui, de leurs bouches impensables, formeront sur leurs instruments ces notes toujours identiques. Et d'ailleurs, à quoi riment ces deux siècles ? Ne suis-je pas en train de l'entendre, ce morceau, ne l'ai-je pas entendu, savouré, avalé, car un *quodlibet*, en ce temps-là, s'appelait aussi *insalata* en Espagne et, à l'occasion, *fricassée* en France, métaphores culinaires qui ne sont pas perdues pour moi, car le vent de cette nuit d'hiver berlinoise m'entraîne, gavé de musique, vers des saucisses et du lard.

* En français dans le texte. *(N.d.T.)*

Le dimanche ici commence dès le samedi. Tout est fermé, les rues se vident et, le jour du Seigneur arrivé, les cloches sonnent à ressusciter tous les morts depuis Charlemagne. Personne ne vient, un silence redoutable plane sur les larges rues, les heures s'étirent en longueur sous l'effet de mystérieuses lois, il est temps de penser au temps.

Les occasions de méditer ne manquent pas, fournies par trois expositions de photographie qui puisent leur sombre miel dans le passé. *Revolution und Fotografie, Berlin 1918/1919* est la première que je visite. En semaine, j'emprunte toujours les transports en commun, mais là, devant tant de vide, je prends ma voiture. Les autres font probablement le contraire, ou bien ils restent chez eux et méditent.

Berlin 1919 – il y a soixante-dix ans. Dans soixante-dix ans, les photos d'aujourd'hui porteront les mêmes masques, ceux de la distance, du temps écoulé, du savoir historique. Puissance et impuissance à la fois : sur les morts que montrent ces photos, on exerce un pouvoir, car on sait ce qui est advenu. Exercer de l'impuissance sur une chose, la langue nous l'interdit, et pourtant le fait est là. Nous restons impuissants, notre savoir supérieur ne nous permet pas de nous glisser par effraction dans ces photos, elles sont closes, leurs personnages ne nous entendent pas.

Sur la couverture du catalogue de l'exposition*, un groupe d'hommes pose, debout. Enfin, ce n'est pas tout à fait vrai : deux d'entre eux s'agenouillent à côté d'une mitrailleuse. L'un d'eux est en civil. Chapeau, chaussures bien cirées, on l'imaginerait agenouillé près de toute autre chose qu'une mitrailleuse. Pourtant elle est bien là, noire, luisante, démodée, menaçante. Les autres, pour la plupart, sont en uniforme, ils regardent le

* *Revolution und Fotografie, Berlin 1918/1919*, Verlag Dirk Nischen, Berlin, 1989. *(N.d.A.)*

photographe et le montrent du doigt, l'un d'eux est sur le point de se précipiter sur lui, ils lui crient quelque chose. Je ne les entends pas. Ce que j'entends, c'est le vide de la rue, l'hivernale nudité des arbres, les grandes maisons de Berlin, celles-là mêmes que j'ai constamment sous les yeux.

Tout n'a pas disparu. Naturellement, il n'existe pas de tenue prescrite pour les révolutions, mais on reste étonné devant ces messieurs chapeautés et cravatés, le fusil serré sous le bras, vulnérables figures postées à des carrefours déserts, découpées sur la lumière inflexible, l'âpre scintillement des pavés. L'aspect du passé dépend irrévocablement de la technique du moment : personne ne peut se représenter la Première Guerre mondiale en couleurs, il paraît impensable que ces hommes que nous voyons en noir et blanc aient eu, eux, une vision colorée. L'exposition se tient dans les locaux de la *Neue Gesellschaft für Bildende Kunst*, la "Nouvelle Société d'art plastique", les visiteurs en sont jeunes, silencieux, sérieux, ils portent l'uniforme des nouveaux déshérités, du prolétariat étudiant de l'opulent Occident. Ce qui me frappe le plus, dans ces lieux, c'est le silence, parce qu'il rime avec le silence des photos. Ni couleurs ni bruits – rien que du temps passé, qui, depuis le temps représenté sur les photos, est venu s'écouler tout droit dans la vie de ces jeunes visiteurs. S'il existe un endroit au monde où le passé se sent chez lui, ce ne peut être que Berlin. Ce que leur donnent à lire ces photos et leurs légendes, c'est le "si" provocant des survivants.

Si l'empire déconfit de Guillaume II avait connu un effondrement plus radical ? S'il n'avait pas subsisté tant de reliquats d'un ordre économique et hiérarchique ancien ? Si des sociaux-démocrates comme Noske n'avaient pas trahi la révolution, s'ils n'avaient pas fait tirer par l'armée sur ceux de leur bord, et n'avaient pas, les années suivantes, laissé courir les assassins de Liebknecht et de Rosa Luxemburg ? Mais le “si” de l'histoire est clos, scellé par les photos accrochées ici, et en même temps il entame une autre vie : ce qui n'a pas eu lieu devient la cause de ce qui a eu lieu : une démocratie ratée, une dictature, un génocide, une nouvelle guerre, une autre paix, jusqu'à aboutir au moment où l'on se trouve soi-même. Là, l'histoire prend soudain le nom de politique, qui n'est elle-même que de l'histoire future.

Les vitrines exposent les témoins muets de cette histoire, des rapports d'autopsie, la facture d'hôpital pour un révolutionnaire assassiné, la lettre de sa veuve qui réclame son alliance (et ne l'obtient pas), les grands appareils anciens qui ont pris toutes ces images, le matériel de développement des photos, machines neutres, non engagées, *unbeteiligt*, grosse artillerie au service de la presse de droite ou de gauche. Et puis cette presse elle-même, journaux pleins d'espoir et de rhétorique, pleins d'un incroyable antisémitisme (“Deux étrangers à notre race, Karl Liebknecht et Rosa Luxemburg, poussent à la lutte fratricide”) ou d'ardeur révolutionnaire (“Ouvriers et soldats en armes derrière des barricades faites de rouleaux de papier journal”).

Commencée par la rébellion de matelots mutinés et de grandes grèves chez Siemens et Daimler, avec d'immenses rassemblements populaires et leurs orateurs sans micros, cette révolution aurait dû être la première à affecter une société industrielle avancée. Le Kaiser abdiqua et disparut : le pouvoir était dans la rue. Scheidemann (SPD) proclame la République allemande, deux heures plus tard Liebknecht en fait autant pour la république socialiste. Le lendemain, 10 novembre, l'“assemblée populaire” des conseils d'ouvriers et de soldats de Berlin installe un gouvernement réunissant les deux tendances. Ebert (SPD) s'assure du soutien du commandement de l'ancienne armée, quatre jours après c'est le tour du capital (ainsi s'appelaient en ce temps-là, nimbés d'une aura plus magique, les employeurs) de reconnaître les syndicats comme interlocuteurs valables.

Là-dessus, un putsch de militaires de droite est déjoué par la marine populaire, qui s'érige en gardienne de la révolution. Puis tout se gâte : le SPD, Noske à sa tête, gouverne seul, fait occuper certains quartiers de la ville et effectuer des rafles par les anciennes troupes gouvernementales et un corps de volontaires nouvellement constitué, les Corps-Francs, *Freikorps*. Liebknecht et Luxemburg sont assassinés (photos du corps de Liebknecht, des assassins fêtant l'événement à l'hôtel Eden, compte rendu du meurtre de Rosa Luxemburg : "Elle nage déjà, la vieille truie", *die alte Sau schwimmt schon),* le SPD remporte les élections du 19 janvier 1919. Le Théâtre de l'Ouest donne *la Veuve joyeuse.*

Le 3 mars éclate une grande grève. On exige la libération des prisonniers politiques et la dissolution des Corps-Francs. Le gouvernement socialiste proclame l'état d'urgence. Les affrontements durent cinq jours. Noske décrète la loi martiale. Résultat : mille deux cents morts, dont cent treize du côté gouvernemental. La révolution est terminée, l'Allemagne s'achemine vers Weimar, et tout ce qui s'ensuit.

Et qui se poursuit aujourd'hui. Quand le soleil brille et qu'il pleut, "c'est le diable qui bat sa femme et marie sa fille", m'a appris ma mère autrefois. C'est le temps qu'il fait lorsque j'émerge du passé. De grosses gouttes déchirent les eaux plombées de la Sprée, le faux jour cuivré du soleil frappe de son étrange lueur les édifices ensorcelés.

Mais non, aucun sortilège ici, je suis dans une grande ville européenne, je monte en voiture, je passe devant les endroits que je viens de voir en noir et blanc et je les laisse se remplir de couleur et d'absence de cadavres. La pluie cesse, je laisse à ma voiture le choix de la direction et elle choisit l'Est, des quartiers où je ne suis encore jamais allé. Je m'engage dans une impasse latérale, qui est fermée par un mur.

Mais ce n'est pas *le* mur, car il est percé d'un trou. Je range ma voiture près de quelques Turcs qui sont en train de laver la leur et me dirige vers le trou. Trompe-l'œil ! Mais pas vraiment : car par ce trou, je vois la rivière, un patrouilleur est-allemand, la rive opposée avec mur et barbelés, et deux gardes qui s'y promènent en devisant aimablement. Bateau, mur, gardes. Aucun autre signe de vie. Je sais que là, derrière, la vie existe bel et bien, car j'y suis allé, mais pour l'instant elle reste invisible.

La ville du silence, vide, mythique. Comme sur un tableau de De Chirico : un espace ouvert, de grands bâtiments, une tour, des ombres qui ont piqué du nez, clouées au sol. Le silence règne dans ces tableaux. Parfois on y voit un cheval égaré, échappé de quelque mythe, grand et blanc. Ou un homme aux airs de marionnette, sans visage, ou plutôt avec un visage de bois, comme une quille, sans bouche et sans yeux.

L'art prédit le réel, car cet homme, il m'arrivera de le voir, à trois reprises. Je suis ressorti de mon cul-de-sac, la Brommystrasse, je prends la Köpenickerstrasse en direction du pont d'Oberbaum. Des affiches signalent qu'il est dangereux de s'approcher de la berge. Elles vous l'apprennent en allemand, mais aussi en turc et en serbo-croate. Triple danger, donc, pourtant on voit des pêcheurs au bord de l'eau.

Je m'approche du pont et grimpe sur la plate-forme d'observation. Tout ici est délabré, univers de démolition. De l'autre côté, c'est toujours la même rive, mais il y a des gens qui circulent sur le pont. Une vieille femme avec une canne, elle traverse très lentement, son visage réunit deux pays. De mon côté s'arrête une vieille Mercedes, d'où descendent un homme portant serviette, une jeune femme et un jeune homme. Ils parlent entre eux, s'engagent sur le trottoir de gauche du pont et disparaissent. La femme prononce le mot *Ausweis*, mais personne ne les retient. Quelques minutes plus tard, ils reviennent, cette fois sans l'homme. Ils se retournent encore, sans un signe d'adieu, et repartent en voiture.

C'est alors seulement que je distingue dans la maisonnette sans vie, juste en face de moi, quelque chose qui bouge, un homme sans visage, derrière de minces barreaux. Il regarde de mon côté, en direction de ce que nous appelons l'Occident. Je ne vois pas son visage, mais il me fait face, je vois ses épaulettes et me rappelle qu'il m'est arrivé de commencer un récit par deux épaulettes auxquelles ne se rattachait encore aucun corps. Il n'apparaissait que plus tard. Ce n'est pas le cas ici, je vois la lumière extérieure tomber à travers les barreaux sur ces deux épaulettes, qui parfois se déplacent légèrement. Puis je découvre les autres hommes, sur un mirador situé plus loin. Je ne vois pas non plus leurs visages, ils sont trop éloignés. L'un d'eux regarde à la longue-vue. Un couple de Noirs américains est venu se placer à mes côtés. Ils adressent de grands signes à l'homme à la longue-vue, mais il ne leur répond pas.

Plus loin encore, sur le toit d'un bâtiment élevé, il y en a deux autres. Ceux-là sont armés de fusils. Eux aussi sont en pleine conversation. De quoi parlent-ils ? De femmes ? Que cherche à voir l'homme à la longue-vue ? S'ennuie-t-il ? Quelles conclusions dois-je tirer de tout cela ? Aucune, tu n'es pas le juge de ce monde. Les gens passent tout bonnement sur ce pont, et cette semaine une personne a été tuée par balles. Le lendemain, il y a encore plus de monde, et aucun garde en vue. Mystères.

Rentré chez moi, je regarde une nouvelle fois les photos du livre. Qu'est-ce qui a bien pu pousser

Noske à écraser la révolte de ceux qui étaient en fait de son bord ? Cela n'a nullement profité aux sociaux-démocrates allemands, on s'est servi d'eux pour conjurer le danger, pour légaliser le meurtre de ceux qui paraissaient les plus dangereux. Dangereux pour qui ? La raison avancée était la peur du désordre, mais qu'est-ce que le désordre ? Le désordre apparaît lorsqu'un tel ne voit plus sa place dans l'ordre établi, parce que tel autre veut abandonner la sienne. Celui qui détient alors le pouvoir l'emporte.

Dans le cas de l'Allemagne, on allait vers un ordre qui affichait tellement l'aspect de l'ordre que nul ne pouvait concevoir le désordre que ce nouvel ordre allait susciter. Les conséquences, elles, prirent l'aspect de la mort, de la guerre, de la défaite, de l'occupation, de la partition, l'aspect de la structure bien ordonnée d'un mur, ce factotum binaire chargé de scinder le monde visible en deux côtés, le devant et le derrière, semblables et différents. Un des côtés s'observe d'une plate-forme, l'autre s'observe à la longue-vue. Ou vice versa. Je l'ai vu de mes yeux. Pour ses constructeurs, ce mur était légitimé par la peur du désordre. Et que doit redouter le plus celui qui, placé derrière le mur, essaie de le détruire ? Il doit redouter les autres, ceux qui, de son côté du mur, ont peur du désordre, ou de ce qui en a l'aspect.

18 mars 1989

2

Habiter ailleurs est autre chose que voyager, je m'en aperçois à ma façon de regarder. Je n'ai pas besoin de mettre constamment au point mon regard, j'ai le temps, je reste à Berlin jusqu'à l'été et j'y reviendrai à l'automne. C'est ainsi que, la semaine dernière, je me suis avisé que j'avais oublié de regarder l'extérieur de ma maison. Sans doute une mystérieuse instance de mon moi avait-elle décidé que cet aspect extérieur finirait bien par filtrer de lui-même à l'intérieur. Mais quand un correspondant hollandais m'a demandé quel genre de maison j'avais, je me suis aperçu que la notion de maison ne suffisait pas, pour la simple raison que cette maison se trouve dans une autre maison et que c'est précisément cette autre maison que l'on appelle ici "maison". Oui, ils traitent de "maisons" ces gigantesques armoires à vivre où différentes couches de maisons s'empilent autour du carré de la cour. "Casernes en location", disaient-ils autrefois, mais rien ici ne m'évoque une caserne, ne serait-ce que parce que je n'entends presque jamais mes voisins. Il n'y a ni concierge ni gardien, dehors, dans la rue, un panneau égrène la curieuse série de nos noms. Les parties communes ne sont pas spécialement bien entretenues, les balustrades sont recouvertes d'une fine couche de poussière qui date peut-être d'avant la guerre, car une très vieille voisine nous a appris que la maison existait déjà à l'époque. Chacun apporte ses ordures ménagères dans la cour, où attendent en rangée silencieuse de grands conteneurs de plastique, un pour les bouteilles, un pour les vieux papiers, tous les autres pour les détritus. Le système fonctionne à la perfection. Chaque matin, à huit heures, les éboueurs appuient sur toutes nos sonnettes à la fois, il y a toujours quelqu'un pour ouvrir la grande porte d'entrée. Je ne connais que la vieille voisine du dessous. Les autres, jeunes pour la plupart, disent bonjour, et je leur rends leur salut. Dans le couloir, une voiture d'enfant et, dans la cour, deux bicyclettes, mais j'ignore à qui elles se rapportent. Tous les appartements donnent sur cette cour. A mon arrivée, le grand marronnier qui y pousse était squelettique, à présent il s'arrondit de jour en jour, on dirait qu'il veut toucher toutes nos fenêtres. Je lui suis très attaché et je m'étonne de sa vitalité, de la force qu'il doit receler au plus profond de son bois. Il n'admet pas la discussion, et pourtant je lui parle de temps à autre. Il me semble qu'il apprécie. Il a déjà ses "tourelles" – c'est le nom que je donne à ses fleurs, de blanches tourelles dressées qui ensoleillent ma journée quand je les aperçois le matin.

Ce matin, à sept heures moins le quart, la sonnette a retenti, un cri fatal qui pénètre vos rêves jusqu'aux moelles et s'y mêle, en attendant qu'une seconde décharge électrique vienne y mettre fin. Dans cette autre vie que l'on mène de front avec la première, on ouvre sa porte et, tout ahuri, on se trouve nez à nez avec un homme éveillé depuis des heures, et que n'infectent ni le sommeil ni ses images noctunes. *Eilbote !* Et le voilà qui dévale en sifflotant les escaliers. Déjà reçu une lettre exprès à cette heure-là en Hollande, vous ?

Pour moi aussi, la journée vient de commencer, et je décide que le moment est idéal pour examiner ma maison de l'extérieur. J'habite la Goethestrasse, la rue Goethe, ce qui n'est pas pour me déplaire. Des tilleuls, un bouleau, au coin une rue piétonne très commerçante, la

Wilmersdorferstrasse, à l'autre bout la Sesenheimerstrasse. Tout près, une place avec son église, où un marché se tient le mercredi et le samedi, et c'est très bien. Je vais jusqu'à la rue de Wilmersdorf et, de là, promène mon regard sur la maison aux multiples maisons. Pour y reconnaître ma part, je suis obligé de compter les étages. Ce qui me frappe, c'est la couleur. Boue séchée, ou sable du désert, en tout cas une substance terreuse, aride, rugueuse, la main s'y frotterait avec douleur.

Je me tiens à côté de la petite baraque où, dans la journée, on vend des "cuisses de dindonneau fraîches", juste en face de la boutique *Nana Nanu*, dont la vitrine montre des fleurs artificielles et des animaux en nylon bleu glacier. D'autres ont une couleur de jaune d'œuf gâté. Ce ne sont pas de vrais animaux, la nature les ignore, un aveugle malveillant les inventa. Plus loin, la pharmacie Goethe. Elle est là depuis 1900. Ensuite, *Zum Wirtenbub*, "Au Petit Serveur", un ténébreux café où je ne suis jamais entré. On y joue aux dés, je l'entends lorsque la porte est ouverte. C'est tout. De l'autre côté, la Galerie Vidéo, qui n'a jamais non plus reçu ma visite. Eros et Thanatos à profusion, nichons et mitrailleuses. Désir et sang, j'en suis éclaboussé lorsque je passe devant la vitrine. Je lis les titres et les bats comme des cartes, un vrai *cadavre exquis**. Le surréalisme n'est jamais très loin.

"C'est comment, au juste ?" me demandent des amis au téléphone. Bonne question, mais qui reste le plus souvent sans réponse. "C'est", serais-je tenté de dire. "C'est, et j'y suis." J'habite Berlin. C'est un endroit différent non seulement des Pays-Bas, mais de partout ailleurs. Mais cette différence ne se laisse pas encore prendre au filet des mots. Cela tient en partie aux gens : ils incarnent pour moi beaucoup plus "l'autre" que

* En français dans le texte. *(N.d.T.)*

les Américains ou les Espagnols. Je ne sais toujours pas quelle conduite adopter avec eux et je suis mal à l'aise avec leur langue. Si je pouvais, je préférerais passer sans mot dire au milieu d'eux, à quoi bon tant parler, après tout ? Dans le métro, je les regarde. Souvent aussi, ce sont des Grecs, des Turcs, des Yougoslaves, des Colombiens, des Marocains. Je les trouve plus abordables, ils sont moins puissants. Ou simplement plus proches.

Parfois, l'impression est claustrophobique. Je ne connaissais pas ce sentiment quand j'étais ici de passage. Le mur, la frontière, on sait qu'on peut les franchir, s'en échapper. La claustrophobie ne peut donc venir de là. Et pourtant. Je m'en aperçois le dimanche. J'ai envie de sortir de la ville. Sur la carte, ce n'est pas le vert qui manque : *Wald* à profusion. On va donc dans les bois, et on y est en un rien de temps. Les autres aussi. Ceux qui ne prennent pas leur voiture ni l'avion pour aller en République fédérale restent à l'intérieur de la clôture ; je ne sais s'ils le ressentent ainsi. On n'est pas vraiment à l'étroit, mais tout de même.

Souvent, je vais à Lübars, qui ressemble à un vrai village. Une illusion – la suggestion d'une grande étendue d'arrière-pays. Deux cafés campagnards, une pompe à essence, une petite église, quelques tombes. Je sors du village, par un sentier que j'ai découvert. La première fois, je l'ai suivi jusqu'à un petit cours d'eau. Je restai un moment à contempler l'eau sombre, rapide, l'ondoiement des plantes aquatiques, évoquant la présence de poissons. C'est alors que je vis la pancarte. Elle annonçait que la zone frontalière commençait au milieu de la rivière. Certes, le mur se trouvait plus loin, mais l'autre rive, ces joncs desséchés, ces quelques arbres, c'était le Pays des Autres.

Désormais, je regardai cette eau d'un autre œil. Elle n'avait que quelques mètres de large, mais au milieu de cet élément mobile et transparent courait la frontière. Mieux vaut ne pas trop y songer, mais je ne pus m'empêcher de le faire. Eau de l'Est, eau de l'Ouest. Sottises – mais cette frontière est réelle. Et elle est là. Je poursuivis ma route, gravissant une butte. De là-haut, je voyais bien le mur. Il y en avait deux. Entre eux, une sorte de fossé antichars, sable meuble, humus, terre, sol. Ce ruban se déroulait jusqu'à l'horizon.

Je m'avançai jusqu'à être arrêté par le mur ; ici, il n'était pas de pierre, c'était un treillage d'acier, transparent. Une trentaine de mètres plus loin, devant l'autre mur, se dressait un mirador. A son pied, une petite voiture. Voici qu'une fenêtre s'ouvrait dans cette tour. Je distinguai les silhouettes de deux hommes. L'un d'eux dirigea ses jumelles sur moi. Commerce inégal : lui me voyait avec précision, je ne le voyais pas. Mais qu'y avait-il à voir en moi ? Pourquoi regardait-il ? Je restai là un moment, avec le sentiment étrange de m'exhiber. J'aurais voulu savoir ce que pensait ce voyeur, mais comment y parvenir ? Je ne cherchais pas à savoir ce qu'il pensait de moi, mais de lui-même. Impossible de le deviner. Regardait-il par devoir, par conviction, par ennui ? Croyait-il en cette surveillance ?

A première vue, il était humainement impossible que rien se passât dans l'espace compris entre les deux murs, en tout cas pas à cet endroit et encore moins à partir de l'Ouest, mon côté. Quel besoin avait-il donc de faire le guet ? Etaient-ce des heures d'indicible ennui ? De conviction politique ? Etait-ce un emploi recherché, de rester ainsi planté sur un mirador ? A vrai dire, j'aurais bien aimé y pénétrer pour bavarder un peu avec lui, mais mes chances étaient nulles.

Hier, peut-être, je l'ai vu distinctement, sans savoir que c'était lui. Hier, c'était le 1er mai. Le soir, j'ai regardé les émissions de la RDA. Je le fais souvent. C'est un exercice aux implications multiples, mais avant tout un exercice de sémantique.

Comment la même information, formulée différemment, devient une autre information. C'était particulièrement frappant après les élections en Russie. Lorsque sur cent candidats du parti, vingt ne sont pas élus, on peut naturellement le dire, et si cela se produit pour la première fois dans l'histoire, on ne se prive pas d'insister. Ce qu'a fait la télévision de mon côté du mur. De l'autre côté, ils ont dit que quatre-vingts candidats du parti, une écrasante majorité, avaient été réélus. Le double visage du même fait, la tête de Janus d'une seule et même donnée, dont l'un souligne un aspect tandis que l'autre le néglige, et ce dans la même langue, comprise et effectivement entendue des deux côtés du mur, voilà qui oblige à exercer ses oreilles. L'œil est un organe beaucoup plus trompeur.

Ce 1er mai, il y avait toutes sortes de choses à voir des deux côtés du mur. De mon côté, la violence des *Chaoten*, comme on les appelle ici. Chaotique était peut-être la situation qu'ils laissaient derrière eux, eux-mêmes, en tout cas, ne le sont nullement. Ils vont droit à leur but, qui est la violence. Le plus possible de violence, entendue comme telle et mise en pratique comme telle. Contre la police, les magasins, les voitures. Des vagues d'assaut, des gens masqués, des visages invisibles et par conséquent inexistants derrière des foulards noirs. De la haine. Du cuir, des bottes, de la fumée, des incendies, des blessés. De l'autre côté, c'était la paix.

Ce que j'ai vu était le résumé d'un défilé de plus de cinq heures. Honecker à la tribune, cinq heures d'affilée. Tantôt avec un panama, tantôt sans. Autour de lui, des membres du gouvernement, des militaires. Devant lui des enfants, des artistes, des travailleurs, des nègres qui dansent, des pompiers, des brigades d'usines. Ai-je vraiment vu ce que j'ai vu ? Du bonheur, des chants, des enfants qu'on soulève, des pères pleins de fierté, un chef d'Etat radieux ?

L'image en soi ne peut être sémantique, la sémantique ne commence que du moment que l'on dit quelque chose, que l'on associe des significations aux images. Mais alors, il faut commencer par parler des images qu'on ne nous montre pas. Quel genre d'images ? Une réunion du comité central où l'on évoque ce qu'il faut faire face aux tendances démocratiques qui commencent à encercler lentement la RDA ? Ou l'attitude à adopter à l'égard du livre de souvenirs de Markus Wolf, l'ancien chef des services secrets ? Ou de l'inoffensive manifestation de cinq personnes qui réclament, chacune un cierge à la main, le droit de se rendre à l'Ouest ?

Plus tard dans la soirée, d'autres images suivirent, cortèges identiques au premier dans toutes les régions de la *Demokratische Republik*. Des podiums, des dignitaires, des cocardes, des défilés. Dans moins de cinq ans le mur n'existera plus, disent certaines personnes qui vivent de mon côté du mur, et de se référer aux images des Hongrois taillant leurs haies de fer à l'aide de gigantesques tenailles. Mais si cela se produit, qu'arrivera-t-il ? Il y aura soudain, au centre de l'Europe, un pays très grand et très puissant dont beaucoup pensaient qu'il n'y serait jamais plus et dont personne ne sait quel pays ce sera.

Le mur est un cliché, je le sais bien. Seulement, c'est un cliché de pierre. Je le vois du ciel quand je m'envole pour quelques jours, césure dans le paysage, absurde et irréelle vue d'en haut. Une cicatrice, tout le monde l'a dit sans doute, mais c'est bien de quoi il a l'air. Et dans la tête des gens, de quoi a-t-il l'air ? A un ami allemand, je demande si les deux parties de sa patrie ont la nostalgie l'une de l'autre. Qu'est-ce que la réunification, un mirage, une aspiration, une possibilité ? Selon lui, cette possibilité n'existe pas, parce qu'il n'y a ni aspiration ni nostalgie.

“Si mirage il y a, c'est celui des autres Européens, qui ont peur d'une Allemagne réunifiée.

Mais elle ne verra pas le jour. Ceux de l'Est en voudraient bien, mais ceux de l'Ouest, en aucun cas." Il n'en veut pour preuve que l'attitude hostile de ses concitoyens vis-à-vis des Allemands de Pologne et de Russie qui passent désormais en masse à l'Ouest. Ils ne les aiment pas, ils ne voient pas en eux des Allemands, car ils sont pauvres et arriérés, et ils détonnent dans cette Allemagne moderne, occidentale, riche. "L'Allemagne dont tu parles, me dit-il, n'a pas même eu cent ans d'existence. Elle ne date que de Bismarck. Elle ne nous inspire pas la moindre nostalgie. Et nous n'avons pas envie de payer pour sa résurrection."

"Pourtant, intervient un Hongrois qui assiste à la conversation, cette Allemagne dont nous parlons n'existait-elle pas bien avant de devenir un Etat unique ? N'existait-elle pas comme langue, comme communauté ? Ce que tu as dit à l'instant revient à ceci : vous autres, Allemands de l'Ouest, vous faites des Allemands de l'Est les vrais perdants de la guerre. Ils doivent, eux, continuer à payer, tandis que vous vous vautrez dans l'abondance. Et puis, peux-tu vraiment te figurer que le mur sera encore là dans dix ans ?"

A cette question, la réponse est toute prête : "S'il n'y a plus de mur, douze millions d'Allemands vont se ruer de ce côté. Nous supplierons Honecker de ne pas le démolir."

Le Néerlandais et le Hongrois sont, un instant, réduits au silence. Puis l'un des deux reprend : "Mais qu'en sera-t-il, alors, de la fameuse «maison commune» européenne ? La RDA devra-t-elle rester, en son milieu, une pièce fermée à clé ? Si la RDA s'ouvre, elle offrira tout de même de grandes perspectives à l'Allemagne de l'Ouest, non ? Vous ne pourriez pas essayer d'aider l'Est à se maintenir à flot par une sorte de plan Marshall ? Moderniser son industrie obsolète ? Lui livrer des machines ? Pense un peu au marché qui s'ouvrirait à vous…"

Mais à cette remarque aussi, la réponse est toute prête : "Le contribuable ouest-allemand n'a pas la moindre envie de débourser un centime au bénéfice de ses frères séparés." Si je rapporte cette conversation, ce n'est pas parce que je la trouve particulièrement révélatrice, ni même pétrie d'intelligence politique. Si toutes ces parlotes – et des milliers de conversations semblables ont lieu en ce moment – possèdent la moindre valeur, elles le doivent au fait qu'elles s'échangent à l'ombre du mur.

Aujourd'hui, je passe de l'autre côté. J'emploie l'expression sans trop y réfléchir, puis je l'entends moi-même, et y médite. L'autre côté. Comme si le mur était une rivière. Comme s'il s'était formé au lieu d'avoir été construit. Un phénomène naturel. D'ordinaire, il est facile d'aller de l'autre côté. Pas cette fois. J'ai pris la *S-Bahn** à la gare du Zoo à destination de la Friedrichstrasse, où se trouve le point de passage. Verrière arrondie, fonte, grands trains, lumière tamisée. Qu'on le veuille ou non, le décor rappelle toujours Graham Greene ou Le Carré, je suis incurable. Un escalier à descendre, chuchotements et piétinements de mes contemporains. On arrive dans un hall. Je le connais, je sais qu'il faut prendre à droite. *Andere Staaten*, "Autres Etats". Aujourd'hui, cinq guichets sont ouverts, étroits passages où la foule est passée comme au tamis. Non, ce n'est pas *moderne*, ni pratique, cela sent l'amateurisme et le provisoire, comme si personne n'avait compté que l'installation dure aussi longtemps.

La foule qui m'entoure : des Polonais, beaucoup de vieilles gens. Je ne suis pas grand, ils m'arrivent à peine aux épaules. Vieux et petits, ils traînent des valises et des cartons énormes. La

* *S-Bahn*, abréviation de *Stadtbahn*, "chemin de fer urbain" qui fonctionne à Berlin depuis 1882 pour traverser l'agglomération d'est en ouest et relier les principales gares. *(N.d.T.)*

procession avance avec une infinie lenteur, il faut dépasser un angle pour parvenir au guichet. Dans ce virage, je suis à la corde ; à l'extérieur l'allure est plus rapide. Même les joueurs de coudes, les habitués, les Occidentaux qui tranchent sur la foule, sont bloqués. De là où je suis placé, à l'endroit où le cortège décrit un quart de cercle, tout semble immobilisé.

Je n'aperçois toujours pas le guichet, mais je sais de quoi il a l'air. L'employé solitaire dans sa guérite de bois. Couleur : beige, très clair. Il est installé assez haut, ce qui vous oblige à présenter les documents à la hauteur du col, les vieilles gens à tendre le bras. Carré dans son siège, il regarde votre photo, il vous regarde vous. Sa casquette est accrochée derrière lui. On tend les cinq marks du visa journalier et on reçoit en échange un papier.

Ensuite, tout va très vite. On est éjecté hors du sas, on change la somme imposée – vingt-cinq marks – et soudain l'on est dehors. On y est. Là-bas. Là-bas, le monde continue tout simplement. Trams, voitures, Trabant. Elles pétaradent et ont tendance à empester. A pied, je me dirige vers Unter den Linden. Rien à signaler. Des gens, des boutiques, des bruits de pas. Peu de circulation, la journée de travail est finie. Je vais au théâtre, tout simplement. Au loin, la porte de Brandebourg, crépusculaire, que je ne vois d'ordinaire que dans l'autre sens. La statue qui la couronne a changé de sens, je le sais, même si je ne la vois pas. Je ne vois que le vide entre les colonnes, et il est le même, ici et là-bas. Là-bas est devenu ici parce que j'y suis, c'est tout.

La pièce est de Thomas Bernhard, et s'intitule *le Faiseur de théâtre*. Je l'ai vue en son temps : Bruscon, le “faiseur de théâtre”, au bout de son voyage, avec sa famille qu'il tyrannise et humilie, arrive dans le dernier trou de la province, un endroit si dégradant pour sa grandeur qu'il refuse constamment d'en retenir le nom, Grutzbach,

Utzbach, et ainsi de suite. Une salle crasseuse et délabrée de l'auberge locale, dehors le couinement de cochons affamés. C'est ici qu'il va donner sa pièce, *La Roue de l'Histoire*, dont il interprète lui-même le premier rôle ; les autres sont tenus par sa femme, secouée de quintes de toux, et ses enfants, affreux et sans talent.

Bernhard, c'est la fatalité, la soumission, l'humiliation, l'insulte, la mégalomanie, une obséquiosité rampante, d'interminables ratiocinations à propos d'un détail – en l'occurrence la pancarte "Sortie de secours" qui, au dire de l'acteur, doit rester éteinte dans les dernières minutes de la pièce. Le tout porté par des vagues de rhétorique, déferlements de répétitions, jusqu'à ce que les jérémiades, l'ennui lancinant, vous aient transpercé jusqu'aux os et que l'inéluctable fatalité de la vie quotidienne, comme chez Hermans, vous ait été chevillée dans le crâne.

C'est alors seulement que l'on vous laisse partir, accablé. L'auberge est en feu, la pièce est annulée et pourtant vous venez de voir la vôtre, au-dehors hommes et porcs mêlent leurs cris, la statue de Staline s'est décrochée de la roue de l'Histoire et gît, stupide et raide, sur les planches, la famille de théâtreux peut poursuivre sa route vers un autre lieu de désolation. Pas question de catharsis, de purification sur scène, d'aucune espèce de solution, pourtant il reste cet étrange effet sur le spectateur : toute la saleté dont on l'a aspergé a sur lui une action décapante.

Une pièce de Bernhard, c'est une camisole de force qu'on se laisse passer volontairement, sachant bien que, si la représentation est bonne, les courroies serreront de plus en plus fort et que l'on continuera à les sentir dans sa chair un moment après. Dans cette pièce – du moins dans la version que j'ai lue – l'auteur s'en prend une fois de plus à l'Autriche, rituellement insultée, ridiculisée, haïe comme dans le reste de son œuvre. Mais pour cette production, la mise en scène a trouvé autre chose : la critique de l'Autriche s'est transformée en critique du régime est-allemand, par un déplacement subtil mais infaillible des accusations et des allusions vers le lieu où nous nous trouvons. De ce fait, ce qui, chez Bernhard, relevait du pathétique et de la haine de soi autrichienne, prend plutôt l'aspect, ici, d'une revue de chansonniers, avec des traits visant la culture prolétarienne, les acteurs-fonctionnaires de l'Etat, les rapports du système avec les nazis, et c'est sans doute pourquoi Staline, plutôt qu'un autre personnage historique, se casse le nez à la fin.

La presse avait souligné ce qu'avait d'exceptionnel, en RDA, la possibilité d'une telle liberté de ton, et c'est vrai, mais comment discerner si un rire fuse d'une gorge allemande de l'Est ou de l'Ouest ? Singulier dédoublement : dans le rire de l'Ouest perce de la surprise et aussi une sorte de joie devant le rire de l'Est – mais, du même coup, ce rire se charge d'ambiguïté, du simple fait de la conscience du piquant de la situation.

Le théâtre lui-même est une sorte de bonbonnière restaurée, statues, fresques, tons crème, décorum. Qui vient de l'Est et qui de l'Ouest ? Il suffit de regarder les chaussures, dit mon ami hongrois. Mais les Allemands de l'Ouest ont parfois aussi de ces affreuses chaussures grises ou jaunâtres. Non, il faut regarder la couture des vêtements, m'a expliqué une germaniste de Berlin-Ouest, mais cela me paraît aller un peu loin. Je m'en tiens à constater que tantôt je le vois et tantôt non, et que je ne souhaite peut-être pas du tout le voir. Ce jeu de société leur appartient, à eux de s'y adonner avec délices.

A l'entracte, le bar sert des cocktails puissants, le mien contient une dose de rhum cubain si généreuse que je regagne la salle avec le sentiment de planer. Sachant que je dois avoir quitté le pays avant minuit, je dîne dans un restaurant tout proche de la gare. Serveurs en nœud papillon blanc et, excusez du peu, en habit, chandelles, vins hongrois, roumains, bulgares, pas de bière, une carte abondante, toujours le décorum. Dehors, la sombre verrière de la gare, les guichets, l'uniforme, le regard scrutateur et son va-et-vient de la photo au visage, la *S-Bahn* presque vide, cette distance infime et pourtant infinie.

A l'Ouest aussi je vais au théâtre, voir *la Chambre et le Temps* de Botho Strauss. Le temps, comme à l'ordinaire, ne se voit pas, et l'espace, dans la pénombre, avant les trois coups, a bien l'air d'une chambre. Assez vide, assez nue, de l'espace véritable. Trois fenêtres. Et devant l'une d'elles, formant un angle de quarante-cinq degrés, deux fauteuils. Dans ces fauteuils, deux hommes qui fument et qui ne peuvent se voir qu'en tournant la tête d'un quart de cercle. Dans ce demi-jour, le spectateur peut consulter le petit programme aux caractères minuscules et, étant un spectateur d'un genre particulier, j'y trouve beaucoup de choses à mon goût, et de ma connaissance.

Borges et le temps, saint Augustin et le temps. Le temps : voilà donc le sujet. Bergson, Plotin, Jung, Lewis Carroll, Ballard, Dieu et le monde entier sont convoqués pour attester que nous avons bien ici affaire au temps. A vrai dire, la minuscule de rigueur dans nos langues ne suffit plus. Comme en allemand, le temps veut être grand, il veut désigner un concept, non pas tel ou tel petit temps fortuit ou nécessaire, mais le Temps, l'élément mystérieux où s'insèrent tous les temps, ceux de jadis et de naguère, usés, moisis, oubliés, ceux d'un jour et de bientôt, vides, neufs et insaisissables. Le temps mesuré et l'incommensurable, les pauvres minutes et secondes de notre échelle et les impudentes années-lumière de la Voie lactée.

Un tel contexte suffirait à laminer l'argument de n'importe quelle pièce. Je sais maintenant que quelqu'un veut que je voie quelque chose dans la pénombre sacrée de ses intentions transcendantes, mais je ne le vois pas, et rien ne m'oblige à le voir. Ce que je vois est déjà assez étrange, captivant, passionnant. Scènes absurdes, airs de la folie, opéras humains, affrontements, énigmes, désespoir. Libgart Schwarz interprète Marie Steuber, la femme que les deux messieurs assis évoquaient comme une passante sans importance observée par la fenêtre, et qui a fini par entrer dans leur vie. A sa suite, une théorie de personnages apparus subitement et tout aussi fortuits, qui se prêtent à d'éphémères combinaisons chimiques, tout un pandémonium de relations tressées, puis décousues : scènes furieuses et passionnées, mystères, fous rires, les lacunes des relations entre les êtres, les trouvailles et les étincelles de ce qui fut un jour théâtre de boulevard. Que, dans tout cela, Strauss ait pris pour moteur l'idée philosophique du Temps, je suis tout prêt à l'admettre : qui médite plus d'une demi-heure rencontre naturellement sur son chemin le temps, le Temps. Ce que j'ai vu durant les deux heures (mesure inévitable) que j'ai passées dans la salle, c'est une image inversée du monde, connu et inconnu, dont j'ai eu bien du mal à me détacher ensuite. Et, ici encore, des acteurs qui vous promènent au bord du délire.

Encore une fois l'autre côté, la face de Janus du monde, le "là-bas" et "l'ici". Télévision, de ce côté-ci. Emission consacrée à Schönhuber, l'homme du "parti républicain". Tout pays se doit d'avoir son parti d'extrême droite, donc pourquoi en priver les Allemands ? Voilà pour l'argumentation. Mais que dire si une forte proportion de policiers ouest-allemands a adhéré à son parti ? *Wir sind eine Polizistenpartei*, "Nous sommes un parti de policiers", dit le leader lui-même, et son propos, aussitôt, rend un son différent. 78 % des policiers se sentent incompris par "la politique". 64 % d'entre eux trouvent les juges allemands trop cléments. Bref, la police est mécontente, n'aime pas les étrangers, est sous-payée, et vote massivement pour l'extrême droite. Sur des images d'archives, on la voit s'attaquer à un ennemi masqué, vêtu de noir, et qui jette des pierres. "Ils ont plus de sympathie pour les *Chaoten* que pour nous."

Et puis les images suivantes, des salles bondées de policiers entourant leur nouveau héros, le seul à les comprendre. Et des syndicats de policiers inquiets, qui ne peuvent se passer, parmi leurs adhérents, des vingt mille "républicains". Puis, toujours de ce côté-ci, Pékin, Gorbatchev, Deng qui laisse échapper un morceau de viande d'entre ses baguettes, des dizaines de milliers d'étudiants qui réclament la démocratie à grands cris. Et de l'autre côté : toujours Pékin, mais personne ne laisse tomber de nourriture et personne ne réclame de démocratie.

Discours, hymnes nationaux, grands mots, comme ici, où Honecker reçoit Mengistu. Le leader éthiopien, accompagné d'une créature de rêve, porte une espèce d'uniforme bleu barbeau sans aucun signe distinctif. Mais tandis qu'on joue son interminable hymne national, ses mâchoires ruminent, on le voit nettement à de petites ondulations tenaces sous le noir de la peau. Un officier casqué se tient au garde-à-vous devant lui, sabre au clair, rend les honneurs en émettant un long cri allemand, puis s'éloigne, lançant de la pointe de ses bottes des coups de pied au soleil. Mengistu savait-il déjà que, chez lui, un coup d'Etat se déroulait qui allait coûter la vie aux deux plus hauts gradés de son armée ?

27 mai 1989

3

Quelqu'un fait un bon mot : Berlin-Ouest, un million d'hommes libres en cage. On n'a pas toujours cette impression, mais, curieusement, c'est bien le cas lorsque l'on quitte la ville, alors que, ce faisant, on ne se dirige justement pas vers sa liberté. Je dois me rendre à Kiel pour y donner une conférence et j'ai décidé d'y aller en voiture. Le trajet Berlin-Hambourg est l'une des trois voies de transit possibles et je ne l'ai encore jamais empruntée. Sur certaines parties de la route, que l'on n'a le droit de quitter nulle part (curieux de constater comme on a vite fait d'accepter une chose aussi impensable), on n'est qu'à quelque soixante-dix kilomètres de la Baltique et, sans pouvoir exactement dire pourquoi, j'y goûte comme un parfum d'aventure.

Deux formes de pathos se manifestent, celui de la politique et celui du temps. Pathos est un bien grand mot, mais aujourd'hui c'est celui qui s'impose. Le temps se grise de lui-même, il se sert à profusion, il semble s'être déversé tout entier dans l'été, d'une cabriole époustouflante et folle. Tout est plénitude, luxuriance, les arbres sont gonflés d'eux-mêmes, l'aubépine est en fleur, le vent est tiède, aucun doute, voici un été exemplaire, un de ceux auxquels on se référera plus tard pour expliquer ce que doit être un été.

J'imagine que bon nombre de gens ont la même impression en Chine. Les images que je vois à la télévision me font penser aux journées de Mai 68, mais grossies à l'infini. Des foules denses comme des forêts, des voitures hérissées de drapeaux, l'effervescence qui perce dans les voix et vous touche à travers le masque d'une langue étrangère, les yeux qui brillent, l'expérience qui consacre une vie entière, quoi qu'il se produise ensuite. Moments rares où l'expression d'une pensée l'emporte sur toute autre considération, où la vie semble soudain ne plus peser qu'une once parce que tout le reste est devenu trop lourd. Tous les matins, j'écoute les commentaires et les interviews du BBC World Service et je me retrouve sur la place de la Paix-Céleste, brusquement devenue, pour quelques jours, la place du Monde-Entier.

J'aurai toujours un côté vierge folle (ces pauvres égarées qui, nous dit la parabole, n'ont plus d'huile dans leur lampe au moment crucial), et c'est pourquoi je scrute le visage des gardes-frontière de l'autre république dans l'espoir d'y lire leurs pensées, je veux savoir s'ils ne sont pas gagnés par toute cette effervescence qui les concerne eux aussi, malgré tout. Mais si c'est le cas, je dois dire que cela ne se voit pas.

Je me suis juré, à l'avenir et si j'en suis capable, de ne plus écrire un mot au sujet de cette frontière. Mais il faut que je le fasse encore une fois. Avec la porte obscure et nocturne de Macao ouverte sur la Chine, c'est la frontière la plus provocante que je connaisse, une de celles qui expriment l'idée même de *frontière*, à tel point qu'on a peine à croire que de stupides corneilles puissent la survoler librement.

L'on s'aperçoit que les grilles se resserrent progressivement, que l'on est canalisé vers une nasse. Soudain, on s'y retrouve enfermé, alors qu'on cherche justement à sortir. Une forêt de lampes. Un vaste terrain dénudé, mais le parcours à suivre y est rigoureusement et étroitement délimité. Le beau temps répand sur toutes choses une grande aménité, mais les formules gardent leur sévérité. Si j'ai des enfants avec moi ? Non, je n'en ai pas. Si je veux bien retirer mes lunettes de soleil et tourner mon visage vers le garde ? Je le veux bien et, pas de problème : je suis moi. Je suis autorisé à me rendre au poste suivant.

Comme il faut un certain temps pour chacun et que les gardes ne font jamais signe à personne de passer sans s'arrêter, je parcours l'étape suivante seul sur l'étendue bétonnée. Nombreuses tours de guet. Toujours ces hauts lampadaires, la nuit le spectacle doit être superbe. Vitesse réglementée à trente kilomètres à l'heure, puis à vingt. L'effet est très étrange. On organise son propre retardement, on retient tous les chevaux invisibles de son moteur. Peut-être ne bouge-t-on même plus du tout, se laisse-t-on entraîner par un tapis roulant. A ma droite, un long tuyau qui relie le premier poste au second, il contient mes papiers, qui progressent, invisibles, à la même allure que moi. Je vois une poulie luisante qui entraîne le tapis roulant où doit se trouver mon passeport. Deuxième contrôle, tout se passe courtoisement. Les visages ne reflètent que la concentration dans le travail.

Et c'est bien de cela qu'il s'agit, évidemment. Ce sont de très jeunes gens. Polis mais sévères, ils me sont aussi étrangers que des témoins de Jéhovah. Un troisième contrôle suit, parfois un quatrième. Pendant tout ce temps, on avance à la vitesse de la tortue qu'Achille ne rattrapera jamais. Un panneau : "En RDA, 0 % d'alcool !" Lentement, on en sort – ou on y entre. Trente à l'heure, puis quarante. Enfin l'on est dans l'autre pays du même pays. Ici aussi, je vois l'été régner en maître, et le genêt se lover à flanc de coteau.

La campagne est innocente, elle ne sait rien. Lupins violets, lointains fuyants, univers bucolique. Plus loin des fermes, des villages, des clochers. Sur d'autres routes entrevues parfois au loin roulent des voitures, des tracteurs. Je vois tout cela, je ne peux y aller. De quoi susciter la convoitise. J'ai bien envie, naturellement, de tourner à droite, d'aller m'asseoir à l'ombre du tilleul dans un de ces villages.

La circulation n'est pas très dense. Elle laisse le loisir de penser. Les rares autos vous montrent, elles aussi, la différence existant entre ces deux pays d'un même pays. La Trabant est un drôle de petit engin, presque attendrissant. Les autres, à bord de leurs emblématiques Mercedes, Audi et BMW, doivent se sentir supérieurs. Mais ici, au moins, une chose est absente, la traque agressive et hystérique qui caractérise les autoroutes ouest-allemandes.

On croirait que toutes les frustrations nationales viennent s'y défouler. Vous êtes en train de dépasser une voiture et vous distinguez dans votre rétroviseur un de ces fous du volant qui se profile à l'horizon : vous pouvez être sûr que, dans deux secondes, son ombre implacable collera à votre pare-chocs, vous aurez droit à un appel de phares, on aimerait bien vous passer dessus. Le meurtre, ils ne pensent qu'à ça, dirait-on. Quand ils vous ont dépassé, attendez-vous à les voir disparaître l'instant d'après à l'horizon, qu'est-ce que cent quatre-vingts deux cents à l'heure pour eux ? Toute leur vie, ils ont dû refouler quelque chose et voilà qu'ils l'expulsent, on dirait tout un peuple constamment furieux.

Rien de tel ici. Cent à l'heure, c'est peu, j'aimerais autant cent vingt s'il ne tenait qu'à moi, mais au bout d'une demi-heure on s'y fait, et maintenant, au moins, je vois mon frère le faucon et ma sœur la buse, les plumets rouges des marronniers, le paraphe voluptueux du vent dans les blés.

Je songe à l'article que j'ai lu ce matin dans le *Tagesspiegel** : "*Glasnost* dans la RDA des années

* *Tagesspiegel* : quotidien d'information de Berlin-Ouest. *(N.d.T.)*

Le taux de change rêvé, Allemagne de l'Est.

quatre-vingt-dix ?” La RDA restera-t-elle toujours à la traîne de l’Union soviétique, de la Hongrie et de la Pologne ? L’argument de la RDA est que les Russes avaient besoin de la *glasnost* pour mobiliser la population parce que l’économie enregistrait un retard désespéré, ce qui ne vaut pas pour la RDA elle-même, car à cet égard elle est le reflet de “l’autre” Allemagne : la meilleure de la classe.

Un colloque s’est tenu récemment à l’académie des sciences sociales du comité central du SED. Y assistaient entre autres des Américains, des Anglais, des Allemands de l’Ouest, scientifiques et hommes politiques. Le tout devait constituer un préliminaire à la démocratisation prévue pour les années quatre-vingt-dix et a été dépeint au *Tagesspiegel* comme étant “une contribution de la RDA au débat sur la *glasnost* et la *perestroïka* en Europe de l’Est”. Echantillon des propos tenus : “Le socialisme a besoin de la démocratie comme on a besoin d’air pour respirer”, et : “Le socialisme sans démocratie ou sans l’application des Droits de l’homme au sens large du terme ne serait pas le socialisme, ou ne serait qu’un socialisme très insuffisant.” Cela prendra du temps, c’est vrai, mais il faut plus de “responsabilité individuelle”, et que s’instaure un climat de “critique et d’autocritique”.

Mais alors, que fera-t-on de ce mur ? pense le citoyen néerlandais que je suis, tout en roulant de grille en grille, comme si ces considérations à elles seules pouvaient suffire à faire fondre tout ce métal. En eux-mêmes, les mots ne font pas fondre les choses, leur vérité doit se manifester ailleurs. Peut-être faut-il voir les choses ainsi : il est impensable que cela ne se produise pas, et tout aussi impensable que cela se produise *instantanément.* C’est l’*instantanément* de toutes ces propositions qui, au moment où elles se réalisent, doit apparaître si important aux intéressés. Tant de troupes russes devront quitter l’Europe de l’Est et, à la télévision, je les vois déjà partir, ces soldats penchés à la fenêtre d’un compartiment, rieurs, un bouquet de fleurs dans les bras et, sur les wagons à plate-forme, les tanks pointant soudain absurdement vers le ciel. Où vont aller tous ces hommes ? A la BBC, j'ai entendu dire qu'à la fin du siècle, l'Union soviétique compterait dix-neuf millions de chômeurs. Qu'en fera-t-on ? Et que feront-ils eux-mêmes, lorsque l'apparence d'activité que maintient une armée en temps de paix aura disparu ?

Les mots, il faut les mettre à l'épreuve du diapason. Rendent-ils le même son et signifient-ils la même chose ? Le SED part d'une démocratie qui garantit politiquement la propriété socialiste des moyens de production, et le tout, d'après cet article du *Tagesspiegel*, doit être envisagé à la lumière du "principe de stabilité" à la frontière la plus sensible du monde, celle que je suis en train de franchir. Selon ce principe, la division de l'Allemagne est la condition même de cette stabilité.

De ce point de vue, le mur est bien plus qu'un symbole, il fait partie intégrante de cette condition. Il apparaît également, plusieurs fois par an, que le mur peut être encore synonyme de mort. Comment concilier les deux aspects ? "Quiconque passe normalement la frontière n'a rien à craindre." En 1988, douze millions de voyages ont eu lieu à partir de la RDA à destination de l'Ouest et de Berlin-Ouest, et six millions en sens inverse. Pourquoi songerait-on encore à passer "anormalement" la frontière ? Ne s'agirait-il pas plutôt de gens qui voulaient tout bêtement partir et n'ont pas obtenu d'autorisation ?

Moi, j'ai le droit de partir, c'est sûr, aussi sûr qu'à mon retour on me laissera rentrer. Je passe les postes frontière, je zigzague sur le béton, je me traîne de barrière en barrière, je n'ai pas d'enfants avec moi, je montre mon visage et me revoilà chez les autres "autres". Soudain, les Mercedes bondissent à nouveau, comme si on leur avait injecté du poison. La première Mercedes happe une Audi qui était en train d'engloutir une

BMW, les morceaux pendent encore de sa gueule. La voilà donc cette grande liberté, les gaz d'échappement enfoncent leurs crocs dans la douceur des arbres, je me retrouve chez moi ; au restoroute, cinq sortes de capotes anglaises, dix sortes de feuilles à scandale, douze sortes de boissons, mais aussi, Dieu merci, un été unique, à vous couper le souffle. Je prends un chemin de traverse en direction de Lübeck. Bois, lacs, sérénité. Il n'y a jamais eu de guerre, la pollution n'existe pas. Je m'allonge dans un bois, à l'ombre de hêtres de haute futaie et j'écoute deux coucous qui n'en finissent pas de se raconter des histoires d'œufs et de nids d'emprunt.

Lübeck. Cette Allemagne-là, je ne la connaissais pas. L'hôtel est au bord du Wakenitz : l'eau paresseuse de l'été, des rameurs, des pêcheurs. Ici, l'atmosphère est nordique, une vieille ville hanséatique, prospérité marchande, les Buddenbrook. Maisons anciennes, pignons à redans, armoiries, vieilles fortunes. On se croirait presque en Hollande, ce n'est pas désagréable. Je grimpe sur une tour, faisant s'affaisser au-dessous de moi le paysage et la citadelle.

La ville, forme curieusement dentelée, baigne dans ses eaux, le port abrite les grands ferry-boats qui vont en Suède et en Norvège, au nord, Travemünde, la Baltique, le monde telle une coupe de lumière. Je me promène par les rues tranquilles, dîne à la *Schiffersgesellschaft*, la "Maison du marin" : maquettes de navires, souvenirs de matelots, d'armateurs, de ports lointains. L'éthique protestante du travail, complice du commerce et du capital : il n'est rien qui, plus tard, paraisse plus vertueux ni plus paisible.

Les plaintes des femmes de matelots se sont tues, seules subsistent les belles demeures marchandes, les églises avec leurs girouettes en forme de caravelle. Derrière la porte close d'une église, j'entends les sons graves d'un orgue, et tout sent le bon vieux temps. *Gesellschaft zur Bevörderung gemeinnütziger Tätigkeit*, "Société d'encouragement des activités d'utilité publique", *Haus der Kaufmannschaft*, "Maison du négoce". A l'hôpital du Saint-Esprit, je contemple avec étonnement les petites niches où dormaient les vieillards, tels des nains dans leurs lits minuscules, rangées interminables d'alcôves groupées sous un grand toit de bois comme une étrave retournée. Des vitraux peints aux armes des donateurs.

Lecture des *Lübecker Nachrichten*, les "Nouvelles de Lubeck" : décès du capitaine Harmannus Otten Wildeboer, pilote de haute mer en retraite, naissance de la première cigogne blanche signalée à Eekholt, vente des œufs de mouette interdite en raison du poison qu'ils renferment, le dollar vient de redépasser le mark et, sur la place de la Paix-Céleste, les étudiants dansent, mais plus pour longtemps. Sur une carte postale en noir et blanc que j'ai achetée, la ville est en feu, les maisons réduites en poudre jonchent les rues, les cloches sont tombées des clochers. C'était autrefois.

Aujourd'hui, nous vivons d'autres temps. La république édifiée sur ces ruines a déjà quarante ans d'existence, et ce sont aussi mes quarante ans. Les yeux fermés, j'aurais pu le faire moi aussi, ce numéro souvenir du *Stern*, à commencer par la face tannée d'Indien d'Adenauer, Willy Brandt à genoux à Varsovie, Erhard et son cigare, Uwe Barschel dormant d'un sommeil éternel dans le bain de son suicide, son bracelet-montre inutile toujours au poignet. Le premier étudiant abattu par la police, Benno Ohnesorg, les vagues de terreur et de contre-terreur qui suivirent, le suicide de Baader et de Meinhof, la construction du mur, les champs emplis de décombres de la ville où j'habite aujourd'hui. Et parmi tout cela, les nostalgies mineures, les premières petites autos minables, les premiers postes de télévision en bois avec leur miracle grisâtre, le millionième travailleur immigré, gentiment accueilli avec un vélomoteur en cadeau de bienvenue.

Ainsi, les deux histoires interfèrent : celle des visages à jamais gravés au feu dans la mémoire collective, qui se transmettront de classe en classe, et l'autre, la petite, qui se compose des souvenirs des survivants et disparaîtra avec eux. Dans son commentaire, Michael Jürgs écrit que les Allemands d'aujourd'hui ne sont pas meilleurs que les autres, mais normalement bons et normalement méchants, qu'ils ne rêvent plus d'une réunification avec l'autre Allemagne mais se réjouissent des signes indiquant que le mur n'a pas été bâti pour l'éternité. Comme toujours, les Allemands ont prêté l'oreille aux voix de l'étranger, et ont entendu beaucoup de choses qui ne leur plaisent pas.

Dans le *Stern* du 24 mai 1989, Jürgs nous régale de quelques réponses. "Non, chers amis de France et collègues du *Nouvel Observateur* et du *Monde*, vous avez sans doute sujet de vous étonner de ce que ce peuple de militaristes ait donné naissance à une majorité d'antimilitaristes. Mais nous aimons mieux vous agacer par ce genre d'attitudes qu'avec nos tanks ou nos canons.

Et il se pourrait, chers voisins anglais, que vous n'ayez toujours pas compris que nous sommes différents des Teutons de vos séries télévisées, et nous n'avons pas de leçons à recevoir de Mme Thatcher, que cela lui plaise ou non."

Je ne saurais reprendre ici l'ensemble de l'article ni le paraphraser, mais le ton en est ferme et assuré, y compris cette remarque : la patrie a aussi peu d'importance que la fête des Mères. La responsabilité des crimes "commis jadis en notre nom" est pleinement acceptée en tant que "partie de notre histoire" et cesse d'être refoulée. Et les Allemands n'ont plus aujourd'hui de patrie nationale. Mais du même coup, les autres n'ont plus de raisons de faire du jugement d'hier le préjugé d'aujourd'hui. L'article entier est un soutien clair et net apporté à la politique de Genscher, et un adieu à la guerre froide : "Célébrons l'avenir de cette difficile patrie."

Patrie difficile, voisin difficile. Un pays qui pose tant de problèmes aux siens pèse lourd sur ses voisins. Sur un coup de tête, je décide de faire un détour. On ne m'attend à Kiel qu'en fin d'après-midi et j'ai vu sur la carte, au-dessus du Schleswig-Holstein, j'ai vu l'autre frontière, celle du Danemark, et sur son tracé la petite ville de Krusaa. Dans mon tout premier livre, *Philip et les autres*, j'ai situé là-bas une rencontre, une rencontre inventée, enjolivée, à partir d'un fait réel qui s'était produit en 1953. Je n'y étais donc pas revenu de si longtemps. Je ne reconnais rien, sauf ce même été à couper le souffle et la langue étrangère qu'on parle autour de moi. *Soldater slog til i Peking-førstad*, d'autres mots, les mêmes mots. *Thatchers EF-stil kan koste hende dyrt*, *Alfonsin går før tiden**. Le temps, *tijd*, *time*, *Zeit*, *tiden* : qu'est-ce que les bouches ont fait des mots ?

Tout est tranquille sur la petite route que j'ai choisie. Des enfants blonds sur leurs vélos, des maisons basses, des toits de chaume. Ici, je me sens chez moi, et je me demande d'où vient l'attrait qu'exercent les petits pays. Ils ne peuvent peser de leur poids sur la balance du monde, mais ce poids ne peut non plus les entraîner vers un de ces destins enfermant inéluctablement celui de leurs habitants. Et comme si je ressentais cette même force de gravité, je fais faire demi-tour à ma voiture et reprends la route de ce Nord qui, pour l'instant, est devenu mon Sud.

10 juin 1989

* "Les soldats ont pénétré jusque dans la banlieue de Pékin." "L'attitude de Thatcher à l'égard de la CEE peut lui coûter cher, Alphonsine se retire avant terme." *(N.d.T.)*

4

C'est l'été, je prends congé de Berlin. La ville est chaude, voluptueuse, mais je la quitte pour un autre été, méditerranéen celui-là, et je ne reviendrai qu'à l'automne. Elle s'est adonnée au plaisir ; sur les grasses prairies derrière le château de Charlottenburg ou dans le parc de Kreuzberg, des femmes à demi nues semblent attendre des bacchanales et à deux reprises je vois une de ces Teutonnes enfourcher littéralement un intellectuel couché humblement sous elle, le dépouiller de son lorgnon, inonder du haut jusqu'en bas sa maigre personne d'une profusion de caresses, un peu à la façon d'un saint-bernard soignant la victime d'une avalanche. Les grands seins blancs luisent au soleil, l'homme trépigne encore un peu, puis se laisse engloutir par la débordante étreinte.

L'ère du matriarcat a commencé, les hommes étendus alentour ne s'en préoccupent pas, fument leur joint, potassent de massives études, laissent couler la bière le long de leur barbe ou s'adressent à leur chien. L'herbe verdoie, la ville trace un cercle de rumeurs autour de ces enclaves, l'été bat son plein et le smog fouette les sens.

Au milieu de cette orgie païenne, je cherche à me remettre en mémoire mon arrivée en février, les pâles visages, les gens blindés dans leurs vêtements contre le froid, mais j'en suis incapable. Cette ville se livre, souffle coupé, à l'été, comme si toutes les autres saisons ne comptaient plus, n'étaient qu'un long tunnel qu'on emprunte pour atteindre ces instants où l'on fête une liberté invisible en d'autres temps.

Les statues baroques du château de Charlottenburg, élégamment figées dans la pierre, participent à la volupté générale et ce n'est qu'en les regardant de près que je me rends compte que certaines ont, sous les boucles de leur chevelure, non des visages, mais des quilles lisses, sans yeux ni bouche, comme sur les tableaux de Malevich et de De Chirico. Elles représentent la Rhétorique ou les Mathématiques, mais ce n'est pas une raison pour avoir à se passer d'yeux. Elles en tirent, dans leur parure très XVIIIe siècle, quelque chose de moderne, et par là d'incongru, de sinistre, une absence d'âme qui ne convient pas à leur allure libidineuse. Leurs visages n'ont pas été mutilés par quelque mouvement iconoclaste, ils ont été conçus ainsi, surfaces allongées, vides, des écus sans emblèmes. Je n'en comprends pas la raison et je vois que pour la connaître il me faudra attendre l'automne, comme aussi pour visiter le musée d'antiquités égyptiennes sur lequel veillent leurs têtes vides.

Les familles turques ont choisi des coins bien à elles dans le parc. Les jeunes filles portent le foulard et s'occupent des petits, les femmes émergent de la vaste tente que forment leurs nombreux atours, les hommes sont accroupis par groupes et fument ou conversent entre eux. Un apartheid de fait, et librement choisi. Ces familles-là ne sont pas étendues au soleil, elles sont assises. Ainsi il existe deux sortes de champs élyséens, les uns dans lesquels, plus ou moins dépouillé de ses vêtements, on se couche et on se livre au soleil, et les autres où, dans une position plus ou moins horizontale, on se contente d'être tout simplement *dehors*, au soleil. Nuance. Et réalité bien différente. Impossible de lire les pensées du second groupe, mais je les imagine aisément. Chacun des deux groupes est un anachronisme aux yeux de l'autre, et les arbres s'en moquent.

J'avais dit que je ne voulais plus parler de la frontière, et je m'étais aventuré à la légère. Avec une ligne de démarcation si provocante, il se passe toujours quelque chose. Cette fois-ci ce sont les chrétiens. J'avais lu quelque chose à leur propos, mais sans vraiment intégrer le phénomène dans ma banque de données. Les chrétiens s'étaient mis en marche vers Berlin, venant de tous les horizons, même de l'Est : *evangelische Kirchentag*, "rassemblement évangélique". On en attendait plus de cent mille. Partout aussi on voyait une affiche mauve avec un slogan que je n'arrivais pas à retenir, parce qu'il comportait deux concepts indéfinissables, Dieu et le Temps. J'ai honte de ne pas m'en souvenir, mais il s'agissait plus ou moins de "notre temps entre Ses mains" ou de "Son temps entre nos mains", en tout cas une chose vraie pour qui y croit et fausse pour qui n'y croit pas.

De fait, l'image de la ville s'en trouva modifiée : dans le métro des tas de gens portant une croix, parfois de terre cuite, beaucoup de foulards mauves, comme si avait éclaté un bref avent estival, et puis là, à côté de l'église du Souvenir, au milieu de la dépravation d'ici-bas, les musiciens d'un groupe rock, chantant des hymnes religieux avec des visages extatiques, ravis et détachés du monde, un chœur qui tantôt désignait le spectateur-passant que j'étais, tantôt le ciel. Partout des carillons qui en descendaient tôt le matin surtout, émanant même de l'église du quartier où je ne vois pourtant jamais entrer ni sortir personne.

J'avais projeté de faire mes adieux estivaux le dimanche après-midi et de consacrer, comme de coutume, une petite heure aux formalités de sortie de la zone berlinoise, ne sachant pas que, telle une épave à la dérive, je serais entraîné hors de la ville sur la vague gigantesque des chrétiens et projeté contre la digue des postes de contrôle. Un instant j'eus l'illusion que les gardes-frontière est-allemands ouvriraient les vannes des écluses pour évacuer le raz de marée. Mais pensez-vous, *business as usual*, et je me suis retrouvé ainsi dans le plus dense conglomérat de voitures qu'il m'ait été donné de voir depuis des années, une masse adipeuse, sirupeuse, se propulsant à perte de vue, mètre par mètre, et qui, quelque part au voisinage des postes de contrôle, se scindait en dix lents filaments, aboutissant chacun à son passage. Les gens poussaient leur voiture, moi aussi, ce qui n'est pas rien avec un engin comme ma vieille Buick, et on passait son temps à s'observer.

L'ambiance était à la bonne humeur. Je ne sais si c'était dû aux pieuses journées qu'ils venaient de vivre, mais les gens étaient aimables. Des jeunes vêtus de mauve avaient installé des haut-parleurs sur leurs guimbardes rafistolées, l'air était empli de cris et de rires, une fête populaire en mouvement, se propulsant de plus en plus lentement vers les hommes en uniforme qui se comportaient comme s'ils trouvaient cela parfaitement normal et posaient les questions traditionnelles. Des enfants ? Pas d'enfants. Un regard jeté dans la voiture. Non, pas d'enfants. Même un jour comme celui-là on ne saurait quitter le paradis terrestre sans autorisation.

Puis, sur les deux cents kilomètres conduisant à l'Occident, le cordon interminable des voitures et autocars affrétés par les Eglises, tous attentifs à ne pas dépasser le cent, et, à la sortie, encore une fois le même bouchon. J'ai perdu des heures et je peux faire mon deuil de mon intention de gagner la Hollande le jour même. Je décide de m'arrêter à Salzgitter et de poursuivre le lendemain à travers le Harz.

Salzgitter, "grille de sel". Les noms de lieux allemands sont parfois trompeurs, quand on s'en approche on s'aperçoit qu'ils recouvrent plusieurs localités. Le *Gästehaus*, l'auberge que je cherche, se trouve à Salzgitter-Lebestadt. "Grille-de-Sel-Ville-de-Vie" rappelle l'Amérique, une de ces petites villes où l'on passe en faisant un long trajet sur le *freeway*. Rien qui évoque un passé. Constructions basses, stations-service, panneaux publicitaires, une pizzeria. Je trouve mon hôtel en tâtonnant. Il a l'air désert, le dimanche le restaurant en est fermé, mais dans un quartier neuf, derrière l'hôpital, il doit y avoir une brasserie Pschor.

Voilà une Allemagne bien différente de celle de Berlin : lorsque j'entre, je suis l'*intruder*, l'intrus d'un western, au-dessus des sept têtes présentes on sent planer la question : "Qu'est-ce qu'il vient fiche ici, celui-là ?" Je vais m'asseoir dans le coin le plus reculé et j'essaie d'effacer mon visage en le maquillant d'une couche d'extrême fugacité. Peu à peu la conversation reprend dans la salle. Comme je ne connais pas leurs noms, je leur en attribue, car il ne me faut pas une demi-heure pour me rendre compte que j'assiste à la représentation quotidienne d'une comédie immuable.

Heinz, vêtu avec décontraction dans un style vaguement italien, veste de soie mélangée duveteuse, chaussettes blanches dans des mocassins, toupet couronnant un visage qui a pris la voie rapide de la vieillesse à l'insu du conducteur. Hannelore, solitaire, postée au bout du bar, a depuis longtemps noté dans son miroir ce même masque de l'âge, mais reste belle, vulnérable toutefois. Institutrice, secrétaire de direction, ayant franchi la quarantaine comme si de rien n'était, cheveux d'or en torsade. Lise, solidement installée dans la soixantaine, chope de bière dans la main droite, partagas dans la gauche, le plaisir est un travail sérieux. Elle ne s'occupe pas des affaires des autres.

Ulrich-l'Ivrogne et Antonio-les-Tempes-Argentées forment le chœur. Antonio, Italien plein d'entregent, installé ici de longue date, a le droit d'être de la partie. Ulrich, gros, débraillé, sans aucune chance auprès de Hannelore, cherche un plaisir de substitution dans l'amour du toupet pour la torsade. Mais Heinz doit rentrer chez lui, bobonne attend.

— Et le chien, dit Ulrich, tu n'as pas encore sorti le chien.

— Le chien, je l'emmerde, dit Heinz.

— Tu parles, dit le patron.

— Prends encore un verre, dit Antonio.

— C'est moi qui paie, dit Ulrich car, Heinz parti, c'est à nouveau l'enterrement de première classe.

— Va pour un verre.

— Un, deux, trois verres.

Hannelore va aux toilettes mais, au retour, tombe dans les bras de Heinz. Simulacre de résistance. Heinz essaie de l'embrasser sur la nuque, mais rate son coup. Ulrich commande une autre bière pour Heinz. Hannelore se dégage de l'étreinte de Heinz et va chastement s'asseoir au bout du bar. Elle arrange un peu sa torsade. Elle a envie de Heinz, c'est vrai, mais il y a des limites. Le patron pousse le verre sur le comptoir avec une feinte réticence. Heinz loupe le verre.

— J'ai déjà payé ?

— Non, c'est la tournée d'Ulrich.

— Tu n'aurais pas dû, Ulrich, dit Antonio. Heinz doit rentrer.

— Il doit sortir le chien, dit Ulrich.

— Il doit aller retrouver sa femme, dit la femme du patron.

— Chien de merde, dit Heinz. J'ai payé ?

La grande main bronzée de Heinz s'égare du côté de l'intimité de Hannelore. Holà, fait la torsade d'or, mais un compas intérieur la fait se tourner dans la direction désirée.

— Encore une bière ? propose Ulrich, et ainsi la frénétique soirée s'avance à un train d'enfer, tissu de voix de plus en plus avinées et de gestes interdits, plus beau que la télé. Dehors l'air nocturne est frais. Humidité, brume, senteur de jasmin, feux tristes et solitaires au carrefour désert, le portier de nuit sursaute dans son sommeil.

Le lendemain matin, je m'aperçois que je ne suis tout de même pas le seul client. Deux Anglais enveloppés d'un nuage de fumée discutent contrats et argent, une femme d'affaires en béton armé ouvre son œuf et lit les dernières nouvelles. Le *Frankfurter Allgemeine* rend compte de l'exposition *L'Europe et l'Orient 800-1900*, que j'ai parcourue la veille, juste avant mon départ de Berlin. Parcourue, c'est le mot, je ne saurais prétendre avoir fait mieux. Les organisateurs ont planté dans l'espace toujours insolite du Gropius-Bau une forêt de références à l'un et l'autre domaine, et dans cette forêt j'ai erré, tantôt plongé dans la pénombre, tantôt éclairé d'une lueur tamisée de harem, interpellé tour à tour par la zone inférieure, hédoniste, de mes sens, par ma tendance à me satisfaire d'une science trop rapidement acquise, mon espagnolisme, mon exotisme, mes réminiscences catholiques, mon besoin d'identification.

Une forêt de mille arbres, ce n'est pas trop dire. Ne serait-ce que le catalogue, trop lourd pour être emporté en voyage et qui comporte plus d'un millier de pages descriptives et mûrement pensées, mais la logique de ce catalogue n'est pas celle de ma progression à travers l'exposition qui, elle, est vagabonde, inattendue, conditionnée par le regard ou l'attroupement des autres visiteurs. Et cela signifie toujours que l'on fait des nœuds entre les siècles, qu'on revient sur ses pas, croise son propre cheminement, se rencontre soi-même, remonte un peu trop haut et redescend dans le temps, un temps qui va des premières tablettes babyloniennes aux fantasmagories pudiques et charnelles, insensées mais splendides, inspirées par les harems aux préraphaélites, et tout ce qui se trouve entre ces deux extrêmes.

Tout ? C'est à voir, mais l'effet de masse de l'exposition appelle le mot. Bruegel y figure avec sa tour de Babel qui redevient ainsi une tour babylonienne, Govert Flinck aussi, avec son homme si typiquement hollandais coiffé d'un turban, mais aussi des parements d'autel brodés de motifs mozarabes, des incunables, les premières traductions d'Aristote et les commentaires d'Averroès, des épées et des boucliers pleins de la frénésie ornementale mauresque, la transparence à vous couper le souffle du cristal de roche fatimide, les reproductions minutieuses de l'égyptologie française du XIXe siècle, mais aussi les effigies sacrées de l'ancienne Egypte elle-même, des Européens du XVIIe siècle revêtus de costumes à la mode orientale, le griffon andalou de Pise, l'allogamie entre musulmans et carolingiens, entre Vénitiens et Levantins, les hauts fourneaux spirituels que furent Tolède et Cordoue, où les cultures islamique, juive et chrétienne coexistèrent aussi longtemps que cela fut toléré, les croisades, les ambassades, les audiences, les lettres de créance, les pèlerinages, les cloîtres, les scriptoriums, les collèges, tout était inséré dans un tissu d'une complication inextricable qui, dans notre siècle de prétendue communication globale, se voit paradoxalement et irrémédiablement déchiré.

Il est évident que les objets exposés ici semblent être, ne serait-ce qu'en raison de leur beauté, à des années-lumière du fondamentalisme destructeur des Khomeiny, mais on n'y voit pas non plus nos propres autodafés et autres barbaries : ces rencontres ont été purifiées de leur souillure, ce qui demeure, c'est l'image d'une nostalgie, comme si une chose qui en fait nous a été très proche s'était retirée sur ses positions, comme si nous avions oublié que ce sont les musulmans qui ont conservé l'héritage grec des médecins, mathématiciens, philosophes et métaphysiciens pour le plus grand profit de l'Europe de la Renaissance et par là de celle des Lumières.

Une seule reproduction accompagne l'article du *Frankfurter Allgemeine* et ce n'est ni le fragment de Gilgamesh, ni les tables astronomiques d'al-Chwarzimi. Chassez le naturel, il revient au galop, et se précipite évidemment vers cet Orient qui n'a jamais existé, celui du rêve torride et fallacieux qui exprime les aspirations du XIXe siècle. C'est un tableau d'Edwin R. A. Long, de 1886, et, même reproduite en noir et blanc, cette peinture fait encore son effet : Moïse dans la corbeille d'osier découvert par la fille du pharaon. Flamants roses, nénuphars, hiéroglyphes, escaliers de marbre, palmiers luxuriants plus orientaux que nature, un lion sculpté dont la tête, détournée avec mélancolie, repose sur les quatre doigts de ses griffes stylisées.

Mais ce n'est pas de cela qu'il s'agit, ni même du futur législateur dans sa corbeille d'osier tressé, ce qui importe ce sont les jeunes femmes nues et demi-nues qui, dans le rêve du peintre et de ses clients, peuplaient cet empire inaccessible : assises ou debout, elles sont bien visibles, disponibles, sur les degrés descendant jusqu'à l'eau, leurs corps drapés au gré de la libido suffocante du spectateur victorien, leur chasteté protégée par le vernis passé sur l'image, pellicule transparente mais impénétrable de temps vernissé qui les enserre comme une tombe de cinq mille ans.

Le Harz, j'avais fait le projet de le traverser, tenté par la couleur verte sur la carte Michelin. Le *Wald*, la forêt, est une bénédiction pour l'âme et j'ai encore dans l'esprit la description du *Voyage dans le Harz* de Goethe. Je suis sot, car il est désormais impossible de concilier l'excursion équestre romantique, solitaire, peut-être dangereuse, du poète qui, en 1777, n'avait pas encore trente ans, avec l'aménagement cultivé, dompté, du paysage accablé de tourisme, que je traverse dans mon enveloppe d'acier. Il jouissait déjà d'une célébrité mondiale, l'auteur de *Werther*, haut fonctionnaire à la cour du duc de Saxe-Weimar-Eisenach, membre du conseil secret, doué d'un intérêt particulier pour la géologie et l'exploitation minière. Il voyageait incognito, se faisait passer pour peintre et appeler Weber (ceci lors du premier voyage, qu'il effectua seul), allait d'auberge en auberge, le cœur plein de Charlotte von Stein, de sept ans son aînée et mère de six enfants, l'amour de sa vie, à qui il adressait chaque jour une ou plusieurs épîtres.

Il paraît étrange qu'une publication posthume puisse lever un incognito, mais c'est bien le cas ici. Ses lettres, son journal intime, ses rapports l'ont trahi : ce voyage, il ne sera plus jamais seul à l'effectuer, chaque pas qu'il a fait est décrit, ses rencontres, ses étapes, la sente forestière qu'il a choisie, celle qu'il a laissée de côté, nous savons tout. Ainsi pouvons-nous l'imaginer chevauchant dans la neige par une nuit obscure, roulant dans sa tête ses idées sur la formation des roches, Faust, sa bien-aimée, les finances du duché, un poème, une lettre qu'il projetait d'écrire, le dessin à faire – cavalier nocturne qui veut escalader le Brocken envers et contre tous et réalise cet exploit, qui a distillé de ces montagnes et de ces forêts mystérieuses les légendes qui les hantaient depuis des temps immémoriaux, la nuit de Walpurgis dans la première partie de son *Faust* et le *Harzreise im Winter*, "Voyage d'hiver dans le Harz" :

Tel le vautour
Qui le matin, sur les lourdes nuées,
Plane d'une aile calme
En quête de sa proie,
*Qu'ainsi mon chant prenne son vol**.

Qui, de nos jours, mettre en parallèle avec un tel génie poétique ? Quelques-uns, un Paz, un Neruda, un Saint-John Perse, un Séféris, ont été à la fois diplomates et poètes, William Carlos Williams

* En allemand dans le texte : *"Dem Geier gleich / Der auf schweren Morgenwolken / Mit sanften Fittich ruhend / Mit Beute schaut / Schwebe mein Lied." (N.d.T.)*

est resté médecin de famille sa vie durant, Wallace Stevens, le plus grand de tous, fut vice-président d'une compagnie d'assurances. Mais un diplomate n'est pas politicien, un homme politique n'est pas géologue, un géologue n'est pas poète et un poète n'est pas conseiller d'Etat, le conseiller d'Etat ne s'adonne pas au dessin, le dessinateur ne compose pas de tragédies, l'auteur de tragédies n'est pas ministre des Finances et le ministre des Finances n'a pas pris les mesures du crâne d'un éléphant pour en faire part dans la lettre à sa bien-aimée.

Et ainsi, roulant sur les pistes cavalières enfouies sous l'asphalte, j'ai tout loisir de réfléchir à ce cavalier d'autrefois qui, à vingt-huit ans, laisse fermenter un poème dans sa tête, met pied à terre pour palper la consistance du granit (auquel il consacrera plus tard une étude) ou pour faire le croquis d'une formation calcaire dont il parlera dans une lettre à Charlotte. Bien sûr, l'Occident vivait les derniers instants avant le fractionnement intégral de la science en spécialisations, bien sûr, Goethe était un roi borgne dans une ville d'aveugles où les pourceaux circulaient encore en liberté, bien sûr, le duché n'était pas une grande puissance et la politique paraissait encore un passe-temps pour messieurs de bonne famille, mais quand même... Et c'est aussi le "mais quand même" du *Voyage en Italie*, dont les trois voyages dans le Harz forment le prologue, lorsque les tensions entre le poète et ses autres identités auront par trop monté, les "mais quand même" des poèmes et du redressement de l'économie ducale, des drames qu'il écrit et de ses bien réelles manœuvres politiques lors de la création de la Ligue des princes, après la mort du prince-électeur Maximilien-Joseph de Bavière.

Il voulait le progrès et le progrès a eu lieu. Aurait-il accepté d'en payer le prix – la perte de poésie ? Question oiseuse. La nature a livré ses secrets dans le Harz, le débat entre neptunistes et vulcanistes (l'univers issu de l'eau ou l'univers issu du feu) a été tranché (Goethe était dans l'erreur), nous savons tout sur le granit et le Brocken est accessible de jour comme de nuit. Sorcières, sorciers, trolls et autres revenants n'y ont plus leur place. Faust et Méphistophélès n'errent plus dans la "région de Schierke et d'Elend", car entre Schierke et Elend il y a des poteaux indicateurs et des bornes kilométriques, la route est aplanie, pourvue de raies blanches, le mystère s'est envolé et, avec lui, le trouble, l'inspiration. Ni les Proctophantasmistes du Faust, ni dame Muhme, ni Lilith, ni les sorcières de pacotille ne surgiront plus entre les nocturnes lambeaux de brume.

Dans l'un des compartiments de sa multiple personne, Goethe était un administrateur moderne, il voulait déverrouiller le Harz et voilà que moi, descendant rétrograde, je m'exerce à éliminer en pensée la route, clé de voûte de son déverrouillage, de ce progrès qu'il a souhaité et dans lequel il n'y aurait plus de place pour le solitaire poète-cavalier qu'il faut aussi. Alors la route devient une sente, les halliers envahissent les démarcations rectilignes, les arbres poussent de plus en plus dru sur les bas-côtés, sans être alignés, matés, réglementés, on retrouve la forêt, sauvage et obscure, tout peut arriver, nous sommes le 9 décembre 1777, le poète-conseiller d'Etat a encore huit kilomètres à faire dans la neige, la forêt, le clair de lune.

En ce temps-là les forêts étaient plus obscures que les mots, aujourd'hui les mots ont réassumé le secret évanoui. L'avenir pédantesque de deux cents ans plus tard est exactement au courant de ce que l'anonyme voyageur pensait alors en chevauchant : "Il se souvenait de son enfance, il pensait au duc, son meilleur ami, de nouveau il réfléchissait à l'interaction entre la Nature et l'Aventure." (Et il avait bien raison, car là où la Nature disparaît ou se voit remodelée selon une pâle image de sa première identité, comme ici, l'aventure se réduit à une promenade en Opel.)

Pendant la nuit, exercice quotidien, il écrit à sa bien-aimée, et non à moi qui, pourtant, lis en ce moment ses paroles. Je le sais bien, c'est normal, nous en avons le droit, Goethe est du domaine public, et cependant on reste surpris de se voir faire sans le moindre remords ce dont on se garderait bien à l'égard de vivants : lire une lettre des plus intimes entre deux étrangers.

Mais je ne puis m'en empêcher, et voilà que je l'imagine, cette lettre, la chose elle-même. Le lendemain matin elle va quitter l'auberge, rangée dans le sac de quelqu'un, derechef à cheval, faisant en sens contraire la route même que le poète a parcourue avec sa grande tête pleine de mots. Peut-être va-t-elle passer de sac en sac, feuille de papier couverte de pattes de mouche, roulée ou pliée en quatre, traitée avec respect, accompagnée du bruit des sabots du cheval, des gémissements du coche, du claquement sifflant du fouet, de paroles en un allemand aujourd'hui disparu, de vociférations, du murmure des pavés, du crissement du gravier ; quelqu'un la portera en haut d'un escalier, la remettra aux mains d'un autre qui la tend à une femme. Elle attend d'être seule, détache un ruban ou déchire une enveloppe, lit couchée sur un canapé ou debout, près de la fenêtre ou à la lumière d'une chandelle, et moi, témoin invisible caché dans son avenir, je l'accompagne dans sa lecture, je lis ce qu'elle lisait, mais pas réellement, pour elle c'est son Goethe en chair et en os, de vingt-huit ans, et non celui que je connais. Ses lèvres remuent, elle lit les mots.

"Quel est ce trouble qui est tapi en moi, je n'aime pas à le savoir, ni même à l'avoir su. Dans ma solitude actuelle, je ne me retrouve pas vraiment comme j'étais dans ma première jeunesse, lorsque je me débattais dans le monde. Les gens ne me semblent pas avoir changé, mais aujourd'hui j'ai fait une observation. Tant que j'ai vécu sous la contrainte, tant que personne n'a manifesté d'intérêt pour ce qui surgissait ou disparaissait en moi, bien plus, comme vont les choses, tant que les gens ont commencé par ne pas prendre garde à moi, puis, à cause de quelques particularités qui allaient à contrecourant, m'ont regardé de travers, mon cœur en toute innocence était plein de prétentions trompeuses, tortueuses. Ce n'est pas si simple à dire, il me faudrait entrer dans les détails : j'étais misérable, rongé, oppressé, mutilé, si vous voulez. Aujourd'hui je m'étonne de voir combien, en particulier depuis ce jour où j'ai renoncé, je trouve en moi de douceur, de bonheur*."

Le lendemain il fait l'ascension du Brocken et, bien qu'en aucune façon ce ne puisse être comparable, j'aimerais en faire autant, mais le Brocken se trouve de l'autre côté, en RDA et, là non plus, ne saurait être gravi : *Sperrgebiet*, zone interdite.

Maintenant je referme l'Allemagne derrière moi et je fonce vers l'été, vers l'Espagne. Mais l'Allemagne ne cesse de me hanter dans le dédoublement qui est devenu à Berlin mon décor quotidien : Gorbatchev acclamé par une foule allemande, Honecker devant la *Volkskammer*, la Chambre du peuple, à Berlin. Ces acclamations donnent soudain au Russe un air de général victorieux, et peut-être en est-il un : comme un stratège il a encerclé l'Allemagne de l'Est.

Victoire ou défaite ? Nous le saurons plus tard, mais dans le pays idéologiquement assiégé, les visages sont tendus : la *Volkskammer* est convoquée pour condamner les vandales et les "éléments contre-révolutionnaires" en Chine, comme si leur propre déclin potentiel au milieu des pays

* En allemand dans le texte, cité d'après Rolf Denrexe, *Goethes Harzreisen*, Verlag August Lax, Hildesheim, 1980. *(N.d.T.)*

voisins à la dérive était soudain inscrit en lettres claires et nettes sur le mur. Leur destin, ou celui de l'homme acclamé ? Un monde craque, et sur les écrans cela prend des airs de fête, comme l'autre fête là-bas, il y a quelques semaines.

15 juillet 1989

5

Au bout de près de quatre mois, me voici de retour à Berlin. La frontière, les douaniers, la maison, j'ai tout retrouvé tel que je l'avais quitté. Seule la ville s'est habillée d'automne, et ces tons s'accordent à ce qui s'y passe. Non pas de ce côté-ci, mais de l'autre, du côté dont on n'oublie jamais la présence. Il n'est qu'à deux kilomètres, tout au plus, de l'endroit où j'habite, tous les jours ou presque on a une occasion de frôler le mur, et sans cesse on voit la haute tour de la télévision. Pas besoin d'aller là-bas. La télévision fournit les images. Vendredi, c'étaient celles d'une fête. Torches, cortèges sans fin, gens qui acclament et qui sourient, leaders à la tribune, qui saluent et sourient. L'œil ne peut se tromper sur ce qu'il voit. Nous ne sommes pas nés d'hier, nous savons ce qu'est un sourire, ce que sont les signes d'une joie authentique, et je les ai vus. Peut-être l'œil ne peut-il être trompé que par ce qu'il ne voit pas. Ce fut une soirée étonnante. Elle dura des heures.

Le vieil homme amaigri se tenait à la tribune à côté de son hôte. Impossible d'être plus près de quelqu'un. On ne voyait pas ce qu'ils pensaient, mais ces pensées invisibles, ces calculs, ces manœuvres parmi différentes possibilités politiques ne connaissaient pas un instant de répit, cela, oui, je crois l'avoir vu. Que se passe-t-il en vous lorsqu'une foule de milliers et de milliers de gens passe devant vous, vous seul et personne d'autre, et vous salue et lance ses cris ? Le regard de Gorbatchev était impénétrable, telle est du moins l'épithète de rigueur. Il empoignait la balustrade de ses deux mains, des mains puissantes. Seuls ses doigts trahissaient parfois son impatience en se mettant à tambouriner, comme s'ils échappaient au contrôle de l'autorité centrale. Dans la foule, des femmes le désignaient, se le montraient du doigt, souriaient, parfois avec extase. Les deux leaders étaient entourés de tous les autres, gouvernement, Politburo. Ceux du dernier rang n'avaient plus de visage, étaient réduits à des contours, ombres sur la caverne de Platon.

Au printemps, l'un de ces deux hommes était à l'Ouest, où on l'avait ovationné comme aujourd'hui à l'Est. Un instant, alors, saluant debout dans une voiture, il avait eu le regard d'un homme sûr d'avoir réussi. Il avait, à ce moment-là, encerclé la RDA. Son pays, la Pologne, la Hongrie, sans oublier l'Ouest, avaient tous ensemble tracé un cercle implacable autour de la République populaire. A l'intérieur de ce cercle, plus rien ne pouvait demeurer inchangé. Ce n'était plus qu'une question de temps. Ce moment devait être scellé, et c'est ce qu'il vient de faire. Par un baiser.

Les images mouvantes allaient trop vite, l'instant disparaissait dans les clichés d'une arrivée. Passerelle, garde d'honneur, vieil homme attendant sur le béton, baiser. On ne voit l'intensité du moment que lorsque les images s'immobilisent. Je regarde justement deux de ces images. Sur la première photo, le visage de Gorbatchev reçoit la lumière de front. L'instant a indiscutablement un caractère d'intimité. Il a fermé les yeux, arrondi les lèvres, il les avance à tel point que la bouche devient une chose étrange. L'autre homme, l'homme aux cheveux blancs, est vu de profil. Lui aussi, apparemment, a fermé les yeux, de sorte qu'ils n'aient pas à se regarder en effectuant ce geste. Le verre gauche de ses lunettes capte un reflet de lumière détourné. Sur la seconde photo on voit qu'il passe sa main derrière l'épaule droite de l'autre, que ses yeux sont effectivement clos. Ce n'est pas un baiser de Judas, on le voit bien. Et pourtant ce baiser scelle la perte de l'un, à moins que ce ne soit celle de l'autre. Rien n'est inconcevable en ces circonstances.

Si le baiser est exécuté par deux hommes, ce sont des Etats qui s'embrassent, des stratégies, des philosophies politiques. Le pays qui était inconcevable sans la Russie reçoit le baiser du pays qui rend concevable la disparition de la RDA telle qu'elle est. L'orthodoxie héritée de Lénine et de Staline reçoit le baiser de l'hérésie. La philosophie qui a tout renversé embrasse celle qui veut tout conserver. La maison commune embrasse la maison séparée. L'un des deux hommes représente une des plus grandes aventures de l'histoire, une révolution qui aux yeux de l'autre n'est justement qu'une trahison de la révolution. Restent invisibles, sur la photo, tous les autres, ceux dont il s'agit.

Tandis qu'à la télévision de la RDA un orchestre folklorique joue ses flonflons, je les vois, ces autres, à la télévision d'ici. Conversations de rue. Mères avec leurs enfants, vieillards, jeunes gens. Ils espèrent des changements sans catastrophes ou bien ils ont peur, sont furieux, taciturnes, indifférents. Eux aussi sont encerclés, leurs mouvements à l'intérieur du cercle sont suivis, parfois traqués avec des matraques, des chiens. Ce ne sont pas eux qui défilaient devant la tribune, une torche à la main, encore que même cela ne soit pas sûr. Brecht a dit un jour que si des gouvernants ne sont pas satisfaits de leur peuple, ils n'ont qu'à en choisir un autre. Il ne semble pas qu'ils y réussissent dans ce pays encerclé.

Dans le *Frankfurter Allgemeine* d'aujourd'hui*, six titres en première page : *Manifestations dans*

* Lundi 9 octobre 1989. *(N.d.T.)*

de nombreuses villes de RDA ; Prisons surchargées à Berlin-Est ; Les communistes hongrois se sabordent et fondent un parti socialiste ; Le flot de réfugiés passant par la Hongrie augmente encore.

S'ils n'obtiennent pas leur autonomie, tous les Allemands de Russie quitteront le pays. L'instant figé de ce baiser masquait ces mouvements furieux, ces aspirations et ces tiraillements de forces et de puissances, de désirs et de rancunes accumulés, d'articles de foi, de résistances et d'espoirs – comme si ces deux hommes se trouvaient dans l'œil d'un cyclone, là où rien ne bouge ; et c'est bien l'impression que l'on avait hier, dans cette mort qu'est souvent ici le dimanche après-midi, à la frontière près de Lübars : les arbres automnaux immobiles, les lumières des hauts projecteurs jetant des taches orange sur le ciel brumeux, quelques promeneurs, une jeune fille à cheval, et derrière la grille et son réseau de fil d'acier, dans le *no man's land* entre grille et mur, debout dans le sable, les jeunes hommes et leurs chiens. Ils étaient plus nombreux que d'habitude. Les gardes-frontière : ceux qui montent la garde. Mais cette fois, on aurait plutôt dit qu'ils attendaient – quelque chose qui arrivera bientôt, plus tard, un jour, mais qui arrivera certainement.

14 octobre 1989

6

Quelle idée un poisson se fait-il de la rivière où il nage ? Il ne peut en sortir pour prendre du recul. C'est un peu la même chose, ici, à Berlin. Tout s'écoule. A chaque instant, de nouveaux événements, de nouvelles nouvelles. Dès que je franchis la porte, je me retrouve, en quelques minutes, pris dans une foule tourbillonnante, les gros titres des journaux me hurlent au visage : *La fin d'un îlot, L'Allemagne étreint l'Allemagne, Le peuple a gagné, Huit cent mille personnes à la conquête de Berlin-Ouest.*

Dans les banques et les bureaux de poste, de longues files d'Allemands de l'Est qui viennent chercher leur prime d'accueil. Des vieux à l'air égaré qui se retrouvent dans cette partie de la ville, trente ans après, à la recherche de leurs souvenirs, des jeunes, nés après la construction du mur et qui habitent peut-être à un kilomètre d'ici, déambulent dans un monde qu'ils n'ont jamais connu, et avancent comme si l'asphalte ne pouvait les porter.

Au moment où j'écris ces mots, des cloches sonnent de toutes parts, comme cette semaine, lorsque celles de l'église du Souvenir déversèrent soudain sur la ville, martelée dans le bronze, la nouvelle de l'ouverture du mur, et que les gens tombèrent à genoux et se mirent à pleurer dans la rue. L'histoire visible a toujours quelque chose d'extatique, de bouleversant, d'angoissant. Nul n'y échappe. Et nul ne sait ce qui va se passer. Cette ville en a vu de toutes les couleurs.

Les écluses de l'Est laissent s'écouler vers l'Ouest le flux de dizaines de milliers de gens ; ils apportent avec eux leurs émotions comme des choses tangibles, leurs sentiments se reflètent sur les visages des habitants de ce côté-ci, sentiments attisés par le bruit de leurs propres pas, de leurs millions de pas dans les rues fermées à la circulation, par les sirènes et les cloches des églises, par les interrogations et les rumeurs des voix, par les mots non écrits d'un scénario né spontanément. Imaginé par personne et par tout le monde. "Le peuple, c'est nous", criaient-ils à Leipzig, il y a quinze jours à peine. Et maintenant les voici, ils sont ici et ont laissé leurs dirigeants chez eux.

Il y a eu une semaine hier, c'était la grande manifestation de Berlin-Est. La photographe Simone Sassen* voulait s'y rendre, mais elle se fit impitoyablement cueillir par les gardes-frontière de la gare de la Friedrichstrasse. Non, elle ne pouvait pas passer. "Pourquoi laissez-vous passer les autres, alors ? Moi aussi j'ai attendu une heure et demie, comme tout le monde." "Désolés, mais nous n'avons pas à vous donner d'explications. Représentez-vous demain." Pour ma part, à cet instant, je m'acquittais d'une autre mission : une série de conférences dans le lointain Occident, à Aix-la-Chapelle, Cologne, Francfort, Essen. Mais là aussi, Berlin était omniprésent, dans toutes les conversations.

Lundi soir, c'était Essen, le cœur noir de la Ruhr. Après la conférence, conversation dans un sombre café, *Erbsensuppe*, soupe aux pois cassés, *Schlachteplatte*, assiette charcutière, grandes chopes de bière. Un groupe de jeunes gens, une jeune comédienne, un libraire, un biochimiste, un écrivain. Et toujours les mêmes mots : *Uebersiedler*, *Aussiedler*, *Wiedervereinigung* : migrants d'Allemagne de l'Est, réfugiés, réunification.

* Compagne de l'auteur. *(N.d.T.)*

"Et en Hollande, on n'a pas peur de la réunification ? Nous, si. Nous n'avons aucune envie d'être réunifiés, et certainement pas avec ces Saxons et ces Prussiens. Ils ont été élevés au lait de l'autorité et ne connaissent rien d'autre. A six heures du matin, ils sont devant les grilles de l'usine. Que voulez-vous que nous fassions d'eux ? Ce sont des Allemands *différents.* 10 % d'entre eux vont voter pour les républicains et 60 % pour la CDU, nous le savons, des sondages ont déjà eu lieu. Alors, l'Allemagne redeviendra une grande nation, nous pencherons de nouveau vers l'Est, du côté des Polonais et des Russes. L'Europe sera bien avancée ! C'est ce que vous voulez ? Tout l'équilibre se trouvera déplacé, il nous faudra redevenir une grande nation."

La seule réponse qui me vienne à l'esprit, c'est qu'ils le sont déjà. C'est leur propre poids spécifique qui va mettre fin à cette division artificielle. Les grands pays possèdent une force de gravité propre, tôt ou tard elle attire tout ce qui l'entoure, la pesanteur cherche le plus court chemin, il appartiendra aux Allemands de savoir manier cette force.

A la fin de la soirée, ils me conduisent au train de Cologne, le dernier, une sorte de train de banlieue. Un vrai calvaire. La rame est déserte, froide, elle s'arrête partout, même s'il n'y a personne. Dehors, les silhouettes sombres des grandes industries, les flammes de l'enfer dans le noir. Aux environs de Düsseldorf, alerte à la bombe, nous nous immobilisons au beau milieu d'un monde invisible, totalement figé. Seul dans mon wagon, j'entends dans l'interphone la voix vieillotte du conducteur, son souffle asthmatique : *"Bombendrohung."* L'arrêt dure une éternité et est-ce l'effet de la nuit, de la solitude, de la conversation de ce soir ou même de l'âge, je ne puis m'empêcher de penser à la guerre, à la puissance d'attraction de cet étrange pays qui, bon gré mal gré, ne cesse d'entraîner d'autres pays dans le sillage de son destin.

Jeudi soir. Je suis de retour à Berlin et j'ai pris un taxi avec un photographe et un ami. Nous bavardons et soudain, je perçois quelque chose dans la voix qui sort de l'autoradio, une intonation que je reconnais. C'est le ton larmoyant, haletant, éberlué et incrédule des grands événements.

Le chauffeur est une jeune femme. Je lui demande de bien vouloir monter le son, mais ce n'est plus la peine, elle nous répète la nouvelle, sachant désormais que nous comprenons sa langue. Elle est excitée, ramène en arrière ses longs cheveux blonds, elle crie presque. Le mur est ouvert, tout le monde se dirige vers la porte de Brandebourg, tout Berlin s'y retrouve, si nous le souhaitons, elle nous y emmène, elle aussi a envie d'aller voir ce qui se passe, si nous sommes d'accord, elle arrête le compteur. De seconde en seconde, la circulation se fait plus dense, cent mètres après la colonne de la Victoire, on est déjà presque bloqués. Dans la Trabant fuligineuse arrêtée à notre hauteur, de jeunes Allemands de l'Est brandissent sous nos yeux leurs visas, à la lumière des lampes nocturnes, leurs visages sont livides d'excitation. Je dis à la jeune femme qu'elle ferait mieux de prendre la John-Foster-Dulles Allee pour se rapprocher du Reichstag. Dulles, le Reichstag, la guerre, la guerre froide : ici, on ne saurait dire un mot sans parler au passé.

Le ténébreux vaisseau du Reichstag flotte sur une marée humaine, tout le monde converge vers les hauts piliers de la porte, vers les chevaux galopants qui la couronnent et qui, autrefois, se précipitaient de l'autre côté. L'estrade d'où l'on peut observer l'allée d'Unter den Linden tangue sous le poids de la foule, nous nous frayons à grand-peine un chemin vers son sommet, chaque fois que quelqu'un en descend, nous avançons de l'épaisseur d'un corps. Le demi-cercle vide, en avant de la colonnade, est balayé par une lumière factice et orangée qui fait apparaître la phalange des soldats garde-frontière comme une ligne impuissante face à la violence contenue de la foule massée de notre côté.

Chaque fois qu'un des jeunes gens grimpe sur le mur, ils tentent de l'en déloger avec leurs lances à eau, mais le jet manque le plus souvent de force et la silhouette solitaire reste debout, trempée jusqu'aux os, statue vivante auréolée d'une écume aux reflets blancs. Des cris, des huées, les éclairs de centaines d'appareils-photos, comme si la pierre du mur était déjà devenue transparente, comme s'il n'existait déjà presque plus. Les jeunes gens dansent sous les jets d'eau, les rangs vulnérables des soldats servent de décor à leur ballet.

La demi-obscurité m'empêche de distinguer leurs visages, et eux ne voient que les danseurs. Les autres – l'énorme animal de la foule dont la masse s'enfle à vue d'œil –, ils ne peuvent que les entendre. C'est l'écroulement de leur monde, le seul qu'ils aient jamais connu. Même sur le chemin du retour, la jeune femme refuse de brancher le compteur. Elle dit qu'elle est heureuse, qu'elle n'oubliera jamais ce moment. Ses yeux brillent. Son ami se trouve quelque part devant le mur, elle voudrait partager ces instants avec lui, mais elle ignore où il est exactement et, de surcroît, son service se prolonge jusqu'à six heures du matin.

Le lendemain matin, vendredi. Je suis installé derrière les vitres du café Adler, le dernier café de l'Ouest, près de Checkpoint Charlie. *You are now leaving the American sector*, et ce panneau non plus ne signifie plus rien, comme si cette certitude elle-même se délitait à vue d'œil. Les Trabis passent la frontière, en un flux ralenti. Quelqu'un distribue de l'argent à leurs occupants, un autre, des fleurs. Dans les voitures, les gens pleurent ou ont l'air abasourdis, comme s'il était invraisemblable qu'ils puissent rouler dans cette rue et que les autres les saluent de la main et les interpellent. Les gardes-frontière est-allemands sont de l'autre côté de la rue, à quelques mètres de leurs collègues de l'Ouest. Ils ne se parlent pas entre eux, trop occupés qu'ils sont à se tenir debout dans les remous de la foule. Je regarde leurs visages et, pas plus que la nuit dernière, dans l'obscurité, je n'y vois rien filtrer.

Puis, moi aussi, je passe de l'autre côté, je prends la queue, *business as usual*, visa, cinq marks, changés au cours désespérant d'un mark contre un, alors que le change réel est actuellement de dix pour un. Tout se déroule rapidement, les formalités sont expédiées en un quart d'heure mais, de l'autre côté, la file d'attente, interminable, se prolonge bien au-delà de l'angle de la Friedrichstrasse. Je me dirige vers la rue où se trouve le siège de Volk und Welt, la maison d'édition qui a publié deux de mes livres. Tout est silencieux, mais la porte est ouverte. A l'intérieur, je rencontre un des lecteurs, qui m'accueille avec un trait de ce fameux humour berlinois : "Comme c'est gentil à vous de venir nous voir quand tout le monde est parti de l'autre côté !" Mais il est clair qu'ils sont dépassés par les événements. Personne ne sait vraiment ce qui va en sortir. Je dis que j'ai appris, de la bouche d'un ami hongrois, que dans son pays, depuis le "changement" – je ne trouve pas d'autre mot –, il s'est créé plus de deux cents nouvelles maisons d'édition. Ils le savent déjà, bien sûr, mais ce qui les inquiète le plus, dans une perspective analogue, c'est de savoir comment se procurer le papier nécessaire.

De la réunification, personne ne peut rien dire de sensé. Quels en seraient les aspects économiques ? "Ici, personne n'est en mesure de se payer un livre importé de l'Ouest. Nos livres ne coûtent que quelques marks." Ils ont une collection étrangère brillante, qui va de Duras à Frisch, en passant par Queneau, Kawabata, Canetti, Cheever, Calvino, Bernlef, Sarraute, Claus, mais

Checkpoint Charlie, Berlin-Ouest, 10 novembre 1989.

Un *Mauerspecht* (littéralement : un "piqueur de mur"), Postdammer Platz, Berlin-Ouest, 12 novembre 1989.

qu'adviendra-t-il de leurs licences d'exploitation lorsque les éditeurs ouest-allemands pourront, eux aussi, opérer librement à l'Est ? Continueront-ils à disposer des droits ? Les questions de ce genre courent les rues par centaines, le pays tout entier n'est plus qu'une vaste question sans réponse et toute réponse possible – encore inconcevable pour l'instant –, qu'elle soit économique ou politique, touche à la vie personnelle de millions de gens.

"Le monde est devenu un monde de verre", dit le lecteur, et je garde cette impression en moi lorsque je ressors de l'immeuble. Il fait froid, mais le soleil brille sur le char triomphal de la porte de Brandebourg. Je vois à présent sous l'angle opposé la ville où j'habite, cet exercice est encore possible. La foule de l'Ouest s'est massivement regroupée sur le mur, les caméras de la CBS et de la BBC filment cette agitation et cette allégresse muettes, cette lointaine extase. Dans le classique *no man's land* entre ici et là-bas, les officiers arpentent le décor de la colonnade comme ils l'ont toujours fait, le soleil dorant leurs épaulettes.

Un monde de verre, le mot ne me quitte plus. Le monde, ici, a cessé d'être réel. Je remonte Unter den Linden, à la vitrine d'une grande librairie trône une édition des œuvres complètes d'Erich Honecker. Les volumes sont minuscules, gros comme le pouce, reliés pleine peau. *Alles für das Wohl des Volkes*, "Tout pour le bien du peuple". Leur format ridicule semble préfigurer le destin du dirigeant disparu. Ils coûtent quatre cent vingt marks. Combien de temps s'est-il écoulé depuis le baiser de Gorbatchev ?

A droite et à gauche, les immeubles sont hauts, anciens et imposants. Jadis battait ici le cœur véritable d'une grande métropole, je prends soudain conscience, pour la première fois, de l'immense étendue qui était la sienne, et qu'elle retrouvera avec son unité. Capitale d'un nouvel

Etat ? Frédéric le Grand ne l'a jamais quittée, il se tient sur son cheval en une immobilité héroïque, les silhouettes aux gestes emphatiques dansent, pétrifiées, au fronton des bâtiments néo-classiques sous le soleil de cette fin d'après-midi, devant la *Neue Wache* de Schinkel se tiennent deux soldats immobiles comme des pierres. En face, sur la place Bebel, une plaque commémorative rappelle l'autodafé de 1933 : *Auf diesem Platz vernichtete nazistische Ungeist die besten Werke der deutschen und der Weltliteratur*, "Sur cette place, la barbarie nazie détruisit les meilleures œuvres des littératures allemande et mondiale". Et un peu plus loin : *Lenin arbeitete im Jahre 1898 in diesem Gebäude*, "Lénine travailla dans cet immeuble en 1898".

Le visage des passants que je croise trahit-il quelque chose ? Non, il ne trahit rien. Ils marchent, ils font leurs courses comme si une moitié de leur ville n'affluait pas vers l'autre en cet instant précis. Je traverse le pont au-dessus des eaux sombres de la Sprée et j'arrive devant l'hôtel de ville rouge* où avaient lieu, chaque lundi soir, les manifestations qui font chanceler ce côté-ci du monde. Traversant la pelouse qui borde sa façade, je me trouve nez à dos avec Marx et Engels. L'un est debout, l'autre assis, je les reconnais, même de dos, à la coiffure ondulée et à la barbe en éventail de l'homme assis. Leur monde aussi semble devenu de verre, fragile, transparent, ils sont encore là et pourtant déjà un peu partis, testateurs déçus par leurs légataires, tournant le dos au palais de verre illuminé de leurs descendants, le *Palast der Republik*.

Quelques heures plus tard, les derniers héritiers font leur apparition, rassemblés pour une contre-manifestation. Il fait nuit à présent, de

* Mairie de Berlin-Est ; ce bâtiment, ancien hôtel de ville du Grand Berlin, doit son nom à la couleur de ses briques. *(N.d.T.)*

puissantes lampes halogènes éclairent la "porte de la réconciliation" de la cathédrale de Berlin. Une nouvelle foule, mais celle-ci ne revendique pas, elle défend, elle s'insuffle du courage avec des slogans, des banderoles et des hymnes de lutte mécaniquement scandés, qui tombent des haut-parleurs.

Je laisse la foule me porter en avant sur le gravier qui s'étend entre les statues, jusqu'à arriver devant le vieux musée avec sa colonnade et ses aigles qui montent la garde. Les journalistes vont se jucher sur la gigantesque vasque de Schinkel qui s'élève devant le bâtiment. Du haut des marches, je déchiffre facilement les banderoles : *Weiter so, Egon* : "Continue, Egon" ; *Sozialisme mit Zukurft : SED* : "Un socialisme doué d'avenir, le SED" ; mais aussi : *Für die Unumkehrbarkeit der Wende* : "Pour l'irréversibilité du changement", et *Kommt raus aus Wandlitz, seht uns ins Antlitz* : "Sortez de Wandlitz et regardez-nous en face" – c'est d'ailleurs ce que je fais, j'observe les visages des membres du parti. Ce sont eux qui ont le plus à perdre à ce changement. Lors d'élections libres, le SED ne recueillerait que 12 % des voix, la plupart des manifestants rassemblés ici disparaîtraient dans le néant où les ont déjà précédés bon nombre de leurs dirigeants, aujourd'hui congédiés. D'une voix hésitante, certains reprennent les chants amplifiés par la sono, des chants qui parlent de drapeaux rouge sang et de lutte finale, mais l'atmosphère est flottante, le monde qui les entoure a changé de face, ils savent ce qui s'est passé en Pologne et en Hongrie, ils viennent se réconforter à la chaleur de voix puissantes, mais ces voix elles-mêmes disent des choses qu'elles taisaient autrefois.

Les communistes qui prennent la parole reprochent à leurs dirigeants d'avoir réagi trop tard, trop tard et trop lentement, d'avoir été sans cesse dépassés par les événements. Des membres élus mercredi au Politburo en ont été radiés aujourd'hui, personne ne sait plus à quoi s'en tenir, le monopole de la vérité est aboli, tout ce qu'on entend sent l'hérésie. Quelques orateurs disent leur satisfaction de n'avoir pas dû, comme autrefois, soumettre le texte de leur intervention à l'approbation du parti. La plupart d'entre eux recueillent plus d'applaudissements que Krenz. Il évoque une *Revolution auf deutschem Boden*, une "révolution sur le sol allemand", mais la plupart des manifestants savent que cette révolution n'est pas la leur. Il parle aussi d'élections libres, mais se hâte de préciser que le parti n'entend pas se laisser ravir le pouvoir : *"Wir sind bereit uns zu ändern, aber wir werden uns niemals aus der Verantwortung stehlen"*, "Nous sommes prêts à changer, mais jamais nous n'abandonnerons nos responsabilités à la sauvette".

Niemals, jamais, quelle est la validité de ces mots ? Le lendemain, une photo du *Welt am Sonntag* me montrera les dirigeants comme un groupe assiégé, imperméables, poings levés, bouche arrondie pour clamer les paroles d'un chant de lutte. Au même moment, partout en ville, les marteaux pneumatiques forent les premiers trous dans le mur. Je quitte la manifestation avant que la foule ne se disperse. Derrière les baies vitrées du *Palast Hotel*, un orchestre à cordes joue en smoking pour un public de Bulgares et de Coréens.

On fait toujours la queue à Checkpoint Charlie. Les étrangers ont le droit d'emprunter une sortie spéciale, ils n'ont pas à attendre. Les mêmes gardes-frontière que ce matin, visages exténués, blêmes, tendus. Je sors du poste sous les traits d'un Berlinois de l'Est, car une jeune femme m'offre du chewing-gum, un jeune homme me tend un tract parlant d'*Einigkeit, Recht und Freiheit*, "unité, droit et liberté", affirmant que le mur doit tomber et la réunification se faire, et McDonald m'offre *ein kleines Getränk*, "une petite boisson", "bon valable jusqu'au 12. 11. 1989". Et en plus on m'acclame, moi qui rentre chez moi.

A la station de métro Kochstrasse, des milliers de gens attendent une rame, se laissent entasser passivement dans les wagons qui vont les entraîner vers l'Ouest. Lorsque j'arrive enfin sur le Kurfürstendamm, c'est la fête. Voitures bloquées, ville livrée à la folie, le peuple n'est plus qu'un grand corps tournant comme une toupie, une bête à mille têtes, il ondoie, clapote, ruisselle, ne sait plus s'il se meut ou s'il est mû, et moi je me coule dans ce flot, me voilà devenu foule, image de journal télévisé.

Sur le mur de la Bundesallee les bulletins d'information à affichage électronique font défiler leurs lignes à toute allure, comme si l'actualité pouvait encore rattraper cette foule, mais rien ne la rattrapera car c'est elle qui fait l'actualité, et elle le sait, et semble parcourue d'un frisson : ce qu'elle lit ici, elle l'a elle-même provoqué, le peuple, c'est elle, derrière elle viennent les hommes politiques avec leurs discours, mais, pour l'instant, ces belles paroles se réduisent surtout à un apaisement.

Personne ne saura jamais vraiment ce qu'est "l'histoire" mais, au cours des semaines écoulées, les gens qui sont ici en ont tourné une page et ce ne sont pas seulement les Krenz, mais aussi les Kohl, les Gorbatchev, les Mitterrand et les Thatcher qui assistent en spectateurs à l'écriture des pages suivantes et attendent les noms qui y figureront. Des millions d'Européens de l'Est ont contourné les signatures de Yalta, et nous ne les y avons pas aidés.

Il y a trente-trois ans, j'étais à Budapest, au milieu d'une autre foule, qui se sentait trahie et abandonnée par nous. Cela aussi, c'était l'histoire, le négatif de la journée que je vis aujourd'hui. Je voyais les troupes russes investir la ville et j'écrivais mon premier article de presse, que je concluais par ces mots : "Russes, rentrez chez vous !" Comment ne pas rire aujourd'hui de ma candeur, mais dois-je en rire si fort que cela ?

Il y a toujours des Russes en RDA, comme il y a des Américains en République fédérale. Ce sont toujours deux pays séparés et le mur est toujours là, même si on y a ouvert des brèches. Mais les gens de l'autre pays se promènent ici dans la rue, pour la première fois depuis trente ans et lorsque je regarde par la fenêtre, je les vois.

18 novembre 1989

7

Le *Bild**, noir, jaune, rouge et affreux, mais porteur des meilleurs titres, égrène comme dans une chanson : destitués, pris, rejetés, traqués et entre ces mots, les photos des dirigeants disparus aussi grandes que les lettres du titre. Au-dessus, dans les couleurs du drapeau allemand : UN PEUPLE SE LIBÈRE. C'est un lundi matin gris et brumeux, et cette semaine a explosé. J'ai vu Kohl tenter de devancer le monde, j'ai vu Krenz, avant, pendant et après sa chute, Golo Mann dans le rôle de Clausewitz, la simultanéité des photos et de l'histoire, deux femmes auteurs, un peuple qui s'étreint et un peuple qui gronde, je dois m'adresser des télégrammes pour mettre de l'ordre dans tout cela.

Dimanche 26 novembre. Café Adler, Checkpoint Charlie. En face, le mur aveugle aux grandes lettres autrefois électriques : *Neue Zeit*, "Temps nouveaux". C'est le cas de le dire. Je me suis mis en route pour un meeting à l'Est, mais la file au contrôle des passeports est si longue que je comprends que je n'y arriverai jamais. Cette ville est toujours divisée. Je reste de ce côté-ci et me rends au Martin Gropius-Bau pour y voir une exposition. Il pleut sur la neige gelée : boue glacée. Europe centrale. C'est une exposition sur les associations

* *Bild* : *Bildzeitung*, quotidien allemand populaire, connu pour son goût du sensationnel. *(N.d.T.)*

sportives juives après que les juifs ont été exclus des "autres" associations. Les photos ont la gaucherie des photos sportives d'il y a cinquante ans ; on peut y discerner, dirait-on, que les gens, plus tard, courraient plus vite. C'est ce que l'on sait qui les rend si corrosives. Je lis les noms, regarde les visages. Lili Sara Henoch, plusieurs fois championne, déportée avec sa mère à Riga, disparue sans laisser de trace. La liste de ses derniers biens, l'aigle qu'on lui permit, autrefois, de porter sur sa poitrine. Alfred Flatow, ancien champion, auteur du *Handbuch für Weltturner*, "Manuel pour les gymnastes du monde", destitué de la Fédération de gymnastique au bout de quarante-six ans. Il écrit dans sa lettre d'adieu à la fédération : "Permettez-moi de taire mes pensées et mes sentiments*."

Il est né en 1869, mais après cette lettre sa vie sera brève. En 1941 "ennemi du Reich", en 1942 déporté au ghetto de Theresienstadt, réservé aux plus âgés, "mort d'épuisement" à la fin de la même année. Edmund Neuendorf écrit à son bien-aimé frère en gymnastique Naumann (tous deux sont membres du comité) qu'il doit courageusement faire face à ces exclusions, désormais il s'agit avant tout de l'Allemagne. "L'Allemagne a si infiniment souffert ces dernières décennies, la civilisation allemande, la vie publique allemande, la moralité ont été si violemment outragées par les juifs, ils ont si atrocement maltraité la politique allemande que quoi qu'il arrive, nous devons tirer un large trait sur le passé. Ce que nous avons vécu ne doit jamais revenir**."

Je regarde le solide gymnaste dans sa tenue de sport vieillotte et en même temps, j'aperçois un

* *"Ueber meine eigenen Gedanken und Empfindungen bitte ich schweigen zu dürfen." (N.d.T.)*

** *"... So stark verschandet worden, die deutsche Politik ist von ihnen so greulich misshandelt worden, dass wir da unter allen Umständen einen ganz dicken Strich unter die Vergangenheit machen müssen. Was wir erlebt haben, darf niemals wiederkommen." (N.d.T.)*

écriteau derrière : "La fenêtre qui se trouve devant vous offre une large vue *(gibt den Blick frei)* sur les fondations du quartier général de la Gestapo et les vestiges de la chambre de torture." Docile, je regarde, un champ, une colline, quelques arbustes noirs dépouillés, des traces de pas dans la neige, rien. Au rez-de-chaussée du musée, il s'agit d'un autre passé : celui d'aujourd'hui. Cette contradiction a quelque chose de pervers, il faut que je m'en explique le pourquoi. Ce sont des photos et des banderoles des manifestations des semaines passées. Après la grande manifestation on a prié les participants de remettre leurs pancartes et leurs banderoles au *Museum für Geschichte*, le musée de l'Histoire de Berlin-Est, qui les prête actuellement pour cette exposition à l'Ouest, comme de simples tableaux.

Je regarde les bouts de tissu accrochés là maintenant, un peu bêtement, au mur crépi, les photos aux images connues, les mêmes pancartes brandies au-dessus de la foule. Peut-être est-ce une des multiples formes du postmodernisme : on fait l'histoire en sachant très bien que dans la semaine même on se retrouvera au musée, où on la reverra, car les commentaires notés dans le livre d'or sont essentiellement l'œuvre de Berlinois de l'Est : "Nous voulons notre démocratie, pas votre fumier !" "Les petits-bourgeois patentés de RDA n'ont rampé hors de leurs trous de consommateurs que lorsqu'ils n'ont plus rien eu à craindre." "Tout, sauf la réunification." "Peur de l'étreinte des frères et des sœurs." Cette histoire est donc loin d'être terminée, malgré les dix points de Kohl.

Sur le chemin du retour, je passe par le marché des Polonais. Des centaines de personnes, transies, dans la boue froide et malsaine ; étalées à leurs pieds, les marchandises piteuses qui attirent les Turcs et les pauvres, pluie glaciale, marchandages, le revers humilié de deux mondes.

Lundi soir, 27 novembre, à la librairie Wolf, Hilde Domin lit ses œuvres. Poèmes, esquisses de sa vie. Une longue vie, elle a presque quatre-vingts ans, pleine de l'intransigeance impitoyable de ceux qui ont déjà tout vécu. Petite, frêle, sans lunettes, une voix de verre. Emigration en 1933, thèse de doctorat à Florence sur un précurseur de Machiavel, un rosaire d'exils, l'Italie, nouvelle expulsion, l'Angleterre, Saint-Domingue, une vie de poèmes, de pauvreté, de maisons de passage – une femme indestructible. Dans le livre qu'elle me dédicace, *Aber die Hoffnung*, "Mais l'espoir", elle souligne trois fois le mot *Aber*.

Colombe,
si ma maison brûle
si je suis encore rejetée
si je perds tout
alors emmène-moi,
colombe de bois vermoulu,
dans le doux mouvement
de ton unique
aile
non brisée.

Mercredi 29 novembre, ces photos du musée me préoccupent encore. Agir et en même temps regarder dans le miroir, c'est un peu cela. Des formes de métahistoire. L'élément narcissique qui y réside dissipe la chaleur du feu. Plus ou moins. D'un autre côté, on est chaque jour étranglé par un excès d'images en mouvement, et dès qu'on les arrête elles deviennent illustrations d'un livre d'histoire. Mais peut-être est-ce précisément là le problème, on n'a pas encore le droit de les arrêter. Rage de voir, cela ne cesse pas. Les lugubres châteaux de chasse des caciques du parti, imitations du plus mauvais goût d'une noblesse féodale, mais sans aucun éclat, d'opulents fauteuils sous des rangées de bois d'animaux, on voudrait les voir assis, un pot de bière à la main, les marquis de l'Est exploité, dans les décors de l'ennemi de classe, la jalousie accumulée du petit-bourgeois.

Entre-temps Krenz se bat pour sa vie, la trop grosse tête pend chaque soir dans l'icône de la télévision de la RDA, dans les grands magasins, sur les lieux de travail, aux coins des rues, implorante, raisonneuse. Mais les ouvriers et les ménagères lui répondent du tac au tac, ils n'ont pas besoin d'aller à l'Ouest, ils resteront bien où ils sont, mais ils ne veulent plus du foutoir que lui et les gens de son espèce y ont mis.

A la télévision, de ce côté-ci, Golo Mann, un air d'irrémédiable ressemblance avec son père – réincarnation, une chaîne de gènes battue comme un jeu de cartes et restituée, superbe. Comme un vrai Clausewitz, il parle du *glacis* que constitue l'Allemagne de l'Est et que la Russie n'acceptera jamais de perdre, et donne au passage un cours sur l'usure du vocabulaire, sur l'errance que des termes tels que communisme, socialisme, démocratie ont entreprise depuis la fin du XVIIIe siècle à travers le champ des significations possibles. Autour de ce noyau se nichent dans mon cerveau d'autres images, celle de l'Est qui s'effondre : Jivkov qui, avec un égarement d'enfant arriéré, bouche entrouverte, regarde fondre sa statue, Ceaucescu martelant son discours névrotique, idiot du village tournant en rond dans un palais vide. Ce n'est plus désormais qu'une question de temps, la poignée de main maltaise de Gorbatchev et de Bush complétait aussi la biographie de Castro. Et, presque enseveli sous la neige de toutes les autres images, Dubček au balcon de Prague, tandis que l'ombre de Husak se prépare à descendre dans l'enfer de Dante, l'icône christique à demi détournée dans une pièce du Vatican où, sans interprète, deux hommes conversent en russe. *Extra omnes !*

Jeudi 30 novembre. Une jeune femme écrivain est-allemande, Kerstin Hensel, lit poèmes et proses au Buchhändlerkeller, à Berlin-Ouest. Petite, sévère, vêtements réduits à la plus extrême nécessité, les cheveux en brosse de Brecht, une tête de nonne tondue, née en 1961. Son recueil de récits s'intitule *Hallimasch*, c'est le nom d'un champignon, un parasite des conifères, mais comestible, nourriture de survie dans des temps difficiles. Sa version de Hänsel et Gretel s'achève par une pirouette amère : «Rentrons à la maison», dit le garçon, alors la fillette le regarda pour la première fois, la première fois depuis des années et dit : «Comme tu as grossi, Hans», alors Hans s'en aperçut à son tour et dit : «Comme tu es devenue bête, Margareta», puis ils se mirent en route, sans savoir où ils allaient." Le lendemain, j'essaie de me procurer ses poèmes à Berlin-Est, mais il n'y en a plus. *Vergriffen*, "épuisé".

Vendredi 1er décembre. Cette fois, je prends la voiture, je veux pénétrer plus loin dans la ville. Juste à la frontière, le moteur de ma vieille américaine entre en ébullition. *"Ist das normal ?"* demande le garde-frontière et j'en conviens : ce n'est pas normal. Plus rien n'est normal, voudrais-je ajouter, mais il m'aide à verser une bouteille d'eau dans le moteur, ce qui me permet de reprendre ma route. Une étrange splendeur plane sur la laideur. Je roule sur l'asphalte de Karl Marx et de Karl Liebknecht, rêves évanouis, et arrive dans des quartiers assez sinistres. Le smog se mêle à la brume, l'air sent la Trabant et le lignite, ici, c'est encore un peu l'après-guerre. Le soleil, vieux restaurateur, atténue les horreurs de hauts massifs de blocs d'habitations, des gares de triage, je m'éloigne toujours plus du centre, roule le long du mur derrière lequel doit se trouver la Sprée, ce mur que je vois si souvent s'étendre sur l'autre rive, de l'autre côté de l'eau. C'est donc ici qu'ils habitent, pensé-je sans vraiment penser, mais c'est bien vrai, ils habitent ici, les gens des manifestations, les gens qui le soir voient la même télévision que moi, ils habitent des dortoirs sans fioritures, au bord de larges allées qui les rapetissent lorsqu'ils les traversent.

Tout à coup je me retrouve aux abords du jardin zoologique, j'en vois les portails et, au-delà, les grands arbres où des grappes de corbeaux, oiseaux chanteurs et récalcitrants, m'appellent de leurs croassements. Vu trop de gens cette semaine, j'ai besoin d'animaux. Le billet d'entrée coûte un mark, je suis quasiment le seul visiteur, je vais prudemment sur les chemins de neige gelée, écoute les chants brefs, perçants, des corbeaux. Campagnols, porcs ventrus du Viêt-nam à la mine maussade, serpents, panthères noires, sérénité des formes qui se reproduisent indéfiniment sans malignité voulue. Je sens l'histoire, cette histoire envahissante, s'écouler hors de moi, je salue à gauche et à droite, j'envoie un signe de la main aux flamants roses enfermés dans leur verrière embuée, aux ours de Sibérie qui font comme si c'était l'été.

Le jour commence à tomber et caresse la neige de ses touches grises, les pingouins débattent de la marche du monde humain, à la fauverie les lions sont en révolte, ils rugissent, sortent leurs griffes et font vibrer les murs du bâtiment – et par une logique secrète, j'assiste une demi-heure plus tard à la relève de la garde devant le monument au Soldat inconnu, trois animaux humains au comportement de machines.

A ce moment, il fait déjà sombre, la scène se passe sous la lumière de hauts lampadaires, ils savent faire tout ce dont les animaux ordinaires sont incapables, ils portent des casques et de longs manteaux vert-de-gris, ils raclent le sol de leurs bottes qu'ils lancent bien haut dans leur ballet mécanique, ils tournent sur eux-mêmes, ils lèvent leur fusil en pointant la baïonnette vers la lumière, ils font semblant de n'être pas trois, mais véritablement un seul, un automate trihumain qui disparaît derrière une porte dérobée en ahanant d'un souffle court, horrible. Un peu plus loin, des manifestants se massent près de la Chambre du peuple, la *Volkskammer* où, demain et après-demain, le parti doit débattre de son propre sort. L'armée ne sera plus, dès lors, l'armée du parti.

Représentation au Maxim-Gorki Theater : *Die Uebergangsgesellschaft*, "La Société de transition", une pièce de Volker Braun qui paraphrase *les Trois Sœurs* de Tchekhov. Une terrasse sordide, une maison d'antiquailles, des existences ratées, des illusions calcinées, angoisse et frustrations, mais toujours l'on soupire après Moscou, car la roue de l'Histoire a décrit un nouveau tour et l'espoir vient désormais, précisément, de Moscou, personne ici pour en douter. Une pièce pleine de contradictions internes, des scènes de psychose, des allusions que je suis loin de toujours comprendre. La salle retient son souffle, rit de tout ce qui touche à la situation actuelle.

Le rideau tombe sur l'incendie de la vieille maison et la mort de l'ancien de la guerre d'Espagne, le seul dont la vie ait pris un sens clair, grâce à sa lutte contre le fascisme. Le reste est confusion pour les survivants. En bas, dans le foyer, je retrouve les mêmes photos, le mouvement arrêté, comme si l'heure de la réflexion sur les événements avait déjà sonné, miroir où l'on se voit immobilisé. Mais ce doit être un leurre, les événements sont loin d'être arrêtés. Sur une grande affiche, dans le même foyer, l'auteur se demande si l'Est doit se laisser coloniser par l'Ouest. "Tout cela ne prouve rien. Où vivons-nous donc – et ce qui vient après nous n'en vaut-il plus la peine ? Une *Wiener Schnitzel* ne suffit pas à assouvir notre faim, un petit capitalisme rapace, à la hongroise, apportera tout au plus une «société à un tiers» (*Eindrittelgesellschaft*, le terme désigne les privilégiés), et la nouvelle misère sociale fera dériver la République populaire vers l'Ouest ou vers de nouveaux troubles sociaux ; la question est de savoir s'il n'existe rien de plus moderne que le cirque des partis, une sorte de démocratie à la base, une démocratie qui veuille des solutions pour tous." Personne, en l'état actuel des choses, ne doit compter sur une annexe docile de la République fédérale.

Dimanche 3 décembre. Sept heures et demie du soir. *Aktuelle Kamera*, télévision de l'Est, l'émission d'information devenue indispensable. Mielke, Mittag, Müller arrêtés, Schalck-Golodkowsky en fuite, Krenz destitué, le parti décapité, l'intervention soviétique à Prague en 1968 condamnée – terminé. Je vois un homme politique assister à l'accomplissement de sa chute. L'expression vient de livres surannés, mais elle est ici à sa place : le peuple *murmure*. Krenz se tient sur les marches, à quelques mètres du micro, blafard sous la lumière du néon. Ils s'avancent l'un après l'autre, argumentent, invectivent – et ce sont les membres de son propre parti, ce qui dans le lyrisme communiste s'appelle "la base". Le verdict est rendu et il est impitoyable, la scène est inouïe. Il veut faire une dernière tentative, s'empare du micro, mais ils crient et le couvrent de huées.

Il sait donner de la voix, et s'en sert pour clamer ce qu'il a l'intention de faire et qu'il n'a jamais fait, mais ils le sifflent, l'injurient et le chassent comme un pestiféré. Il se détourne et disparaît derrière les silhouettes qui l'entourent. Plus tard, l'écran nous le montre une dernière fois, l'homme du mois dernier : décorant Mielke, l'ancien chef de la *Stasi*, arrêté depuis, une sorte de petit minable en uniforme couleur crème, la poitrine en panneau d'affichage couvert de décorations multicolores où Krenz colle un ruban de plus, puis, image plus mortelle encore, le même Krenz à Pékin après l'écrasement du soulèvement étudiant.

Le voilà balayé, disparu, classé "histoire ancienne", enterré sous la chaîne humaine que ses concitoyens déploient à travers tout le pays escamoté par deux hommes sur un bateau, par l'un de ces deux hommes en visite à Bruxelles et par Kohl qui, dans deux semaines, eût dû rencontrer Krenz et lui conférer la légitimité qui vient de lui être enlevée. A la fin de la soirée, Egon Bahr résume les événements : “Ce parti s'est décapité lui-même, c'est la troisième phase d'une révolution. Et, vous le savez, les têtes ne repoussent pas.”

Cloué devant l'écran pendant des heures, je veux faire un petit tour avant de clore ma journée. Il fait nuit, et froid. Quelques ombres sont assises derrière les fenêtres des cafés, pour le reste c'est le calme. Et je me dis que ma ville est un quartier encerclé, au milieu d'un pays à la dérive, tel un grand navire sur une mer en furie dont il déchaîne lui-même les vagues. L'image est absurde, mais je ne vois pas comment l'éviter. Je sais que la tempête fait rage, et c'est le calme plat.

9 décembre 1989

8

Le spectateur en perd la raison, mais qu'en est-il des premiers rôles ? Soir après soir, ils crèvent l'écran pour s'introduire chez moi, avec leur bagage toujours renouvelé d'inventions, de formations, de réactions, d'oukases, de menaces, de supplications. En regardant – soir après soir – *Aktuelle Kamera*, la rubrique d'information de la télévision de RDA, j'ai l'impression que ce pays vit depuis des mois une immense assemblée générale permanente, dans une promiscuité qui donne à toutes ces tables rondes, à ces réunions fondatrices, à ces conférences de presse, à ces audiences publiques, l'allure d'un gigantesque lit où tous les acteurs, bon gré mal gré, doivent s'allonger et peut-être coucher ensemble, tandis que le peuple, au nom de qui cette chienlit a commencé, quitte la tumultueuse chambre à coucher sur la pointe des pieds ou en claquant la porte.

Ces séances télévisées qui se prolongent des soirées et parfois des journées entières sont devenues pour moi une véritable drogue, je sais que cela ne me vaut rien, que l'illusion d'optique engendrée par la proximité peut vous faire oublier que derrière ce pays il en est encore un autre, et au-dessous et au-delà de ce dernier d'autres encore, et que partout bouillonne plus ou moins la même marmite de sorcières, mais rien à faire, après tout j'habite cette enclave, et mon enclave est l'œil du cyclone.

A Noël, j'ai pris la fuite, je voulais regagner ma paisible patrie où, apparemment, jamais rien ne se passe, parce que nous avons fait le travail il y a quelques siècles. Le temps était épouvantable et, en scrutant la carte, je découvris aux environs de Detmold les mots "monument de Hermann" puis, en caractères beaucoup plus gros, ceux de *Teutoburger Wald*. Qui était Hermann, je l'ignorais, mais la "forêt de Teutoburg" rendait un son suffisamment wagnérien pour s'accorder à ce ciel de plomb.

Dès que l'on s'est échappé de l'absurdité de l'*Autobahn*, le monde retrouve mystérieusement sa vraie nature : le pays, la province, l'endroit où habitent les gens invisibles, la substance coriace qui, tel un contrepoids, s'attache pour les corriger aux légères inventions de la ville, le domaine de la *majorité*, une contrée dont l'accent, le dialecte et les coutumes peuvent varier mais que, dans chaque nation, l'on identifie comme la quintessence généralement silencieuse du pays lui-même. Ici, j'étais en Allemagne, comme j'y étais aussi la veille, à Celle où j'avais passé la nuit : le dîner qu'on m'y avait servi se parait du titre de "Vêpres canardières ducales", et ces mots disaient tout, de la volaille catholique et féodale que j'avais dans mon assiette au triomphalisme bourgeois des vieilles maisons restaurées du centre – enseignes de fer forgé, pignons à colombage et inscriptions gothiques, une citadelle, un château fort, un marché de Noël avec son vin chaud, ses sapins, ses cantiques, *O douce nuit*, et plus tard la nuit la plus douce et la plus silencieuse d'Europe, où seul le tic-tac de mes pieds résonnait entre les maisons fermées dont les propriétaires dormaient du sommeil du juste.

A présent, je cherchais Hermann et tout le monde voulait m'y aider car tout le monde connaissait sa demeure et tout le monde était aimable et prévenant, et cela valait mieux, car

Hermann n'entendait pas se laisser trouver par moi, il ne cessait de se dérober derrière de nouvelles collines, des lignes de bois, des lambeaux d'averses, jusqu'au moment où je pus enfin garer ma voiture sur un parking immense et terriblement désert, à côté de quelques Trabis qui, piteuses et transies, rêvaient de pulpeuses Mercedes.

Si elles choisissaient Hermann pour but de leur premier voyage, elles qu'on autorisait enfin à franchir leur clôture après tant d'années, quel pouvait en être le sens ? Je ne le voyais toujours pas, je suivais un chemin forestier, pourchassé par le vent, protégeant mon visage des coups de fouet de la pluie – et c'est à travers mes larmes que je l'aperçus, homme grand comme un phare juché sur un piédestal haut comme une tour, tranchant la tempête au fil de son épée levée, régnant sur le monde.

Sa taille me coupa le souffle ; tout en contournant son socle je contemplais ses incoercibles mollets, les ailes d'aigle à l'envergure surhumaine qui se déployaient sur son casque, les plaques arrondies de sa jupette, d'un vert omineux piqueté de gris, et l'espace mystérieux, plombé et figé qu'elle abritait. Un étroit escalier en colimaçon me permit de grimper jusqu'à ses pieds, mais ce qui au niveau du sol n'était qu'une tempête, devenait ici un ouragan.

Hermann soutenait le choc ; il est vrai qu'il pèse plus de quarante-deux tonnes, qu'avec son socle il dépasse largement les cinquante mètres et qu'il n'a pas à craindre que le vent n'emporte son casque ni ne trousse son jupon : 30 924 boulons de cuivre le fixent solidement à lui-même. Quant à moi, je n'avais pas cette chance, je me retenais des deux mains à la balustrade, scrutais la syntaxe embrouillée des villes et des villages disséminés à la ronde, et je dominais tel un oiseau la sombre forêt où, en l'an neuf de notre ère, Hermann avait taillé en pièces trois légions romaines.

Ignorant l'existence de l'Allemagne, il ne pouvait savoir qu'il l'avait libérée, et pourtant c'est ce qu'on peut lire aujourd'hui sur son épée : *Deutsche Einigkeit meine Stärke, meine Stärke Deutschlands Macht*, "l'unité allemande fait ma force, ma force, la puissance de l'Allemagne".

Une fois de plus, l'histoire, cette vieille menteuse anachronique, n'a pas pu s'empêcher de faire des siennes. Je comprends à présent pourquoi l'ex-roi de Prusse et son successeur l'empereur Guillaume Ier, *der alte Kaiser*, qui se trouvait incarné dans la même personne, étaient venus dévoiler la statue en 1875 (et aussi ce que ces Trabis font ici) : l'illusion prévalait ainsi qu'une ligne ininterrompue reliait Hermann à Guillaume, comme si cette même plaine qui s'étendait à mes pieds n'avait pas été, des siècles durant, une poussière de duchés et de royaumes, avec les conséquences qu'on imagine. "Chroniquement déchirée et divisée", écrivait déjà Hölderlin, et les chiffres ne laissaient aucun doute : la paix de Westphalie, en 1648, reconnaissait la souveraineté de trois cents Etats allemands, dotés chacun de sa cour ou courette, de son despote plus ou moins éclairé, de son corps de fonctionnaires et du culte de l'obéissance assorti – toutes choses qui, jusqu'à notre siècle, se sont avérées lourdes de conséquences.

Bien entendu, Hermann ne s'appelait pas du tout Hermann, mais Arminius. La faute apparaît au XVIe siècle sous la plume d'un humaniste dérangé, et s'installe définitivement dans la tradition, car à quoi sert un héros national au nom étranger, je vous le demande ! L'empereur Auguste n'aurait pu choisir plus mal l'homme qu'il envoya en Germanie, une chiffe molle et un brigand qui venait de saigner à blanc la Syrie, Publius Quintilius Varus. Il n'a pas une haute idée des Germains, ce Varus ("il estimait que les habitants de cette contrée étaient des hommes qui n'avaient

Monument de Hermann-Arminius.

d'humain que la voix*"), et la méconnaissance de l'ennemi est toujours le plus sûr moyen de courir à sa perte.

Hermann surprend Varus par la ruse, le massacre, et il aurait dormi d'un sommeil éternel dans les livres d'histoire s'il n'était venu hanter les nuits du sculpteur Ernst von Bandel. Trente-huit ans durant, ce rêveur – raillé et appauvri, comme il se doit – travailla à cette statue et si, au bout du compte, le résultat n'était pas beau, il était gros, si gros que l'empereur lui-même le remarqua, et décida d'en faire son profit.

Durant les siècles où la France et l'Angleterre s'étaient constituées en entités centralisées, la nation allemande était demeurée émiettée, sous l'action de bombes à fragmentation de fabrication nationale ou étrangère, et chacun s'y était accoutumé, les Allemands eux-mêmes autant que les autres. Tout le monde y trouvait son compte : ce virtuel empire du Milieu n'eût pu que rompre l'équilibre, un cordon sanitaire de puissances étrangères contrôlait les bouches des fleuves et l'Allemagne, qui n'existait pas en tant qu'Etat, était emprisonnée dans la gangue du continent européen.

L'inviolabilité de ces grands et petits potentats étant garantie par l'étranger, les villes, jadis si sûres d'elles-mêmes avec leurs libertés civiles, perdirent de leur puissance et de leur rayonnement. Toutes ces villes de résidences repliées sur elles-mêmes tombèrent dans l'opérette, une opérette quelque peu cauchemardesque et byzantine mêlant titres de noblesse, conseils secrets, manie des uniformes, extravagances héraldiques, bals de la cour, obéissance servile, bureaucratie et, si l'Allemagne n'existait pas encore, du moins un type humain se créait-il, qui peuplerait une Allemagne future.

* En allemand dans le texte : *"Er bildete sich die Meinung, dass die Bewohner Menschen seien, die ausser der Stimme nichts von Menschen an sich hätten." (N.d.T.)*

Quand on échappe à la contrainte de la vie dans un Etat, on peut se permettre d'entourer de sentimentalisme ou de pathétique une nation qui ne s'offre qu'à l'affectivité, et tout ce pathos a trouvé son expression dans la statue qui me domine et qui, selon toute apparence, continuera d'étendre le bras bien avant dans le prochain millénaire.

J'en prends mon parti, je vais me réfugier dans les calmes jardins de ma patrie, où les statues sont plus petites, mais les problèmes aussi. Quant aux autres effigies, les images mouvantes, elles me poursuivront jusque là-bas, les Modrow et les Kohl qui tentent à eux deux de ressusciter et d'incarner Bismarck, tandis qu'autour d'eux l'Europe, cette vieille femme aux mille souvenirs, aux mille jalousies et aux mille terreurs, guette leurs moindres mouvements. Ce qu'elle murmure dans son demi-sommeil est ce qui jadis s'appelait l'histoire ; et à bien l'écouter, on saisit parfois un mot et l'on comprend *Gleichgewicht*, "équilibre", et l'on sait alors qu'elle rêve de la paix d'Utrecht et de la fin de la guerre de succession d'Espagne. Mais il y eut tant de paix, toujours grosses d'une prochaine guerre, et toujours il s'agissait de déterminer et d'aménager un nouvel "équilibre", et si le résultat ne tombait pas juste, les cohortes armées se remettaient à glisser sur la carte, car rien n'est plus glissant qu'une balance trafiquée, rien ne la redressera, aucun Rapallo, aucun Munich, aucun traité de Vienne ou de Westphalie, aucun Versailles, aucun tango entre Molotov et Ribbentrop : un des danseurs finit toujours sur le gibet – à qui le tour ?

Ou bien n'est-ce vraiment plus le tour de personne, les pays se couchent-ils, tels des ruminants, à l'abri de leurs rivières scellées, et les bergers européens laisseront-ils le troupeau allemand se mélanger en paix ? Dans la foule des consentants, les récalcitrants se remarquent à peine, la réunification ressemble à un phénomène naturel, et tout homme politique conscient de ses intérêts se laisse porter au fil de l'inondation en faisant mine d'avoir le robinet bien en main.

Me voilà de retour à Berlin, et aussitôt reparti pour d'autres destinations. La Pologne rôtit, la Bulgarie mijote, la Roumanie cuit à gros bouillons, le grand pays qui s'étend plus à l'est maintient le doigt sur et dans toutes les plaies qu'il a lui-même ouvertes, et l'organisateur de tout cela rappelle parfois un écrivain qui ignore comment continuer son livre et n'en veut rien laisser paraître. Et ici ? Je suis redevenu la proie de l'écran de télévision, je suis l'interminable discussion, son enchevêtrement, les nouvelles ouvertures, les relations, les inimitiés, j'essaie de comprendre par quels cheminements ces gestes et ces attitudes découlent d'une histoire plus ou moins récente et comment, dans leur incroyable émiettement, ils parviendront à constituer l'histoire nouvelle, et en même temps je retiens mon souffle.

Au lycée, j'ai appris une phrase que je n'ai jamais oubliée : *Senatu deliberante Saguntum periit*, "tandis que le Sénat délibérait, Sagonte tomba". La situation n'est sans doute pas si tragique, et au surplus je ne vois guère d'autre solution, mais au spectacle quotidien de toutes ces initiales en plein conciliabule (SEDSDPLDPDBCDUDDRSPD*, sans parler des autres combinaisons de lettres de l'alphabet qui ne figurent pas encore dans mon fichier), je crois entendre le pas feutré des déserteurs, comme si la table de négociation se dressait, solitaire, dans la plaine de Brandebourg et que le vent emportât toutes ces voix.

Ne suis-je pas injuste ? Si, bien sûr, et en voyant tous ces visages sincères, enthousiastes, et que des années de pratique politique n'ont pas

* L'auteur a assemblé ici les initiales de plusieurs partis est- ou ouest-allemands auxquelles il a joint les lettres DDR, que nous traduisons par RDA. *(N.d.T.)*

encore rongés, je m'en rends compte. Peu
ma réaction première traduit-elle plutôt l'affre
corruption qu'engendre la télévision. Ce qu
nous montre ce spectacle quotidien, c'est la réalité, c'est l'exhaustivité têtue de la confusion, et à la fin on voudrait avoir un dénouement, une chute, une catharsis, une de ces conclusions désormais indissociables du support médiatique de *Dynastie* ou du *Lieu du crime*, mais la réalité n'en a pas à nous proposer. Demain – lorsque deux mille autres personnes, ou plus, auront déserté l'émission –, le feuilleton continuera avec la même lenteur sirupeuse, avec les divergences, le fractionnisme, les tiraillements inhérents à l'activité politique, et si ce feuilleton est sans doute captivant pour les intéressés, on peut se demander s'il en est de même pour le spectateur.

Projetés aux étranges lucarnes, la prière ou l'accouplement de nos semblables peuvent produire une impression passablement désagréable, mais c'est parfois aussi le cas de réunions politiques trop prolongées, pour la simple raison que le temps réel, enregistré par la télévision, est restitué par elle sous forme de ralenti. Je n'ai jamais vraiment percé le secret de ce caprice temporel einsteinien, mais la conclusion est claire : qui veut vivre plus longtemps doit regarder la télévision.

Résidant temporairement à Berlin, j'ai reçu du sénateur* chargé des Affaires intérieures, le *Senator für Inneres* – un titre débordant d'intimité –, une attestation notifiant ma qualité de ressortissant néerlandais en résidence à Berlin**, ce qui me permet d'entrer en RDA et d'en sortir sans autre formalité. Et c'est ce que je fais à présent, pour

* La ville de Berlin-Ouest constituant administrativement une province, son conseil municipal porte le titre de Sénat. *(N.d.T.)*

** En allemand dans le texte : *"Für Berlin mit niederländischer Staatsangehörigkeit gemeldet." (N.d.T.)*

me rendre à Munich. Je ressens tout de même une sorte d'excitation, parce que je n'ai encore jamais pris cette route. Les panneaux indicateurs m'invitent à visiter Gotha, Leipzig, Weimar, Dresde, mais ce sera pour le retour, lorsque j'aurai plus de temps.

Les Trabant fument, la chaussée est sinistrée, les étapes ont un air suranné, elles ignorent le luxe acharné de notre partie du monde. C'est un paysage marqué, unique en son genre, la lenteur imposée de votre progression lui donne une patine digne de temps définitivement révolus, ce qui, pour de mystérieuses raisons, n'est pas désagréable. De l'autre côté de la frontière, la Bavière : paysage ondoyant, sombre forêt, plaques de neige, beauté.

Dans mon auberge, qui donne sur l'*Englische Garten*, le "Jardin anglais", je lis l'ouvrage que Gordon A. Graig a consacré à ce pays *(The Germans)* et m'enfonce dans les chapitres lumineux où il traite de l'histoire allemande, mais lorsque je sors dans les rues, entre les gens à l'emblématique tenue de chasse et les façades des palais couleur vanille, je *suis* au cœur de cette histoire, celle de la piété baroque et de la révolution de Toller, celle des rêves athéniens de Ludwig Ier, des chants surexcités du Hofbräuhaus, celle de l'université où Hans et Sophie Scholl distribuèrent leurs tracts antinazis et celle des mastodontes qui servirent de résidence aux Wittelsbach. La ville me trouble et me reste en même temps étrangère, bien que je ne cesse d'y revenir. Le soleil brille, le bassin du Jardin anglais, ce jardin qui fut un temps interdit aux juifs, s'étend toujours sous la glace, et le même soleil transforme curieusement les flaques d'eau qui piquent les allées derrière le Nymphenburg, si bien que les vieilles dames qui s'y promènent semblent planer sur une plaine de neige argentée.

Naturellement, je ne puis m'empêcher d'entrer au palais, et dans le sillage des Japonais de service, je flâne devant les fauteuils vides, les lits solitaires, les salles frappées de mutisme, les miroirs sans visages, les lustres et les balustres, les oies écervelées sur les gazons éparses, les cygnes sur la glace. Tel un duc ennuyé, je laisse mon regard tomber sur les visiteurs du parc nantis de sacs en plastique, avant de me retourner vers la galerie des Belles de Ludwig, des dizaines de jeunes femmes peintes sur la toile qui m'envoient un regard du royaume des morts, parées pour le bal.

Irène, comtesse d'Arco-Steppenburg, Margravine Pallavicini, les brandebourgs peints avec minutie sur le caraco rebondi d'Hélène Seldmayr, la poitrine époustouflante de la comtesse Caroline von Holnstein, qui s'avance hors du tableau en un dangereux surplomb, voulez-vous m'accorder cette danse ? Au restaurant, des dames au chapeau vert mastiquent les éternels jarrets de porc et, du dehors, le vent apporte le son de l'angélus. Midi, heure fantomatique.

A la Glyptothèque, sur la place Royale, une exposition de Jim Dine. Ce fut sans doute la réalisation d'un rêve de jeunesse, le vétéran du Pop Art, seul à l'intérieur du rêve matérialisé du roi de Bavière, cet écho tardif accroché aux cimaises entre les dieux et les héros, les sages et les guerriers. Ludwig construisit son Parthénon pour abriter sa collection, Klenze en fit un superbe édifice, la Grèce exilée au Nord, et la guerre le paracheva en détruisant toute la décoration pour mieux en souligner la structure classique, où toute l'attention se concentre sur les statues.

Et quelles statues !

Il y a quarante ans, je les découvrais dans mes livres de classe, le sourire énigmatique du kouros, l'éphèbe attique, le regard aveugle d'Homère, le visage mutilé d'Aphrodite qui nie sa mutilation, la sagesse intériorisée d'Athéna aux yeux baissés, le sommeil troublé du satyre assis.

Dans le silence de leur présence, protégé de toute intrusion, l'homme de deux millénaires et demi plus tard, avec son crayon à dessin et son matériau infiniment plus périssable. Jim Dine, je me rappelle ses marteaux, ses burins, objets isolés, arrachés à leur anonymat pour jouer soudain les premiers rôles, puis les nus, les répétitions inépuisables du visage de l'artiste, de son corps, d'abord disséqué en fragments et représenté avec ses outils de graveur *(thirty bones of my body)*, plus tard dans son intégralité – et enfin, aujourd'hui, cette confrontation avec la perfection physique des corps classiques et la plus-value que leur ont conférée l'intention religieuse originelle et les siècles écoulés entre leur passé et notre présent.

Il y faut une certaine audace, et il a eu cette audace, entre autres raisons, dit-il, parce que les mutilations et les dégradations subies par la plupart des statues les ont rapprochées de l'art moderne. Son travail à la Glyptothèque lui a fourni l'occasion d'une méditation sur la beauté, de la recherche d'une paix intérieure, mais il était effrayant aussi de tenter de se mesurer à ce matériau qu'il qualifie de "cosmique". Son apport personnel évoque parfois une forme d'assemblage : il a rapproché des statues, comme celles d'Homère et de Socrate, et des traits d'un bleu léger les associent désormais l'une à l'autre, deux apparitions de l'autre monde, esprits sacrés. Il en a extrait d'autres de leur contexte, les a rehaussées, dramatisées, par un emploi économe, mais extrêmement stratégique, de la couleur. Il a droit de cité dans ces lieux prestigieux, ses images existent à côté des statues qui ne perdent rien de leur mystère, et tolèrent ces confrontations. Il y a du bonheur à s'y promener, peut-être parce que les œuvres me rappellent ma jeunesse, évoquent ce que je connais, peut-être aussi parce que ce sublime reste si familier et que le divin, pour une fois, s'est vraiment fait humain, à moins que ce ne soit le contraire, ce qui est encore plus beau.

Le musée me réservait une surprise, avec une ironie intentionnelle ou non : dans un coin de la

Munich, Glyptothèque.

salle de statuaire romaine, un groupe de têtes de Socrate emballées sous plastique. Il est transparent, ce plastique, il luit et, comme dans une œuvre de Dine, on note ici aussi une intensification, une accentuation. Les sculptures s'en trouvent enrichies, non amoindries, la lumière qui tombe des hautes lampes et traverse le plastique adoucit les visages, le philosophe sourit, et j'emporte son sourire en sortant sur la place austère qui voulait être classique en des temps qui l'étaient si peu.

Le dimanche, la salle des *Münchener Kammerspielen* abrite des débats : deux messieurs et un animateur. Ce sont des entretiens germano-allemands, et aujourd'hui ils réunissent, ou plutôt ils opposent, Wolfgang Harich, philosophe marxiste, et Christoph Stölzl, directeur d'une institution contestée, le Musée historique allemand, *Deutsches Historisches Museum*. Harich doit à sa liberté d'esprit d'avoir fait sept ans de prison du temps d'Ulbricht, et quand on songe au régime stalinien de l'époque, on comprend aisément pourquoi, car un partisan de la répartition des bénéfices dans les entreprises socialistes ou du développement d'une paysannerie de petits et moyens propriétaires, de la réintroduction du parti social-démocrate en RDA et d'élections communes aux deux Allemagnes (déjà !) n'avait évidemment pas sa place à la cour de Walter Ulbricht. De surcroît, déserteur en 1944 et membre d'un réseau de résistance au nazisme (quand on est né en l'an 23 de ce siècle, on a plusieurs vies derrière soi).

Un héros, se dit-on, et que voit-on sur scène ? Un vieux satyre à la voix coupante et suraiguë, joliment autoritaire, partisan d'une dictature économique, toujours fidèle au communisme, pourfendeur des voyages, du tourisme et de la société de consommation occidentale, et au fond de son cœur, dirait-on, toujours favorable à la RDA, si ceux de là-bas ne s'y étaient pas pris aussi sottement.

Son adversaire se comporte un peu comme un Néerlandais, je veux dire qu'il ne s'énerve pas, refuse de suivre son interlocuteur dans ses cabrioles idéologiques, rappelle de temps en temps avec calme la nécessité d'élections libres et de démocratie et, tout au plus, reproche à l'autre ses tendances aristocratiques.

Je n'y peux rien, mais cet homme me donne le fou rire. Voilà un représentant d'un pays qui l'a mis au trou pour sept ans et qui est, aujourd'hui, l'un des endroits les plus pollués d'Europe, et il se permet, nouvelle Marie-Antoinette, de lancer au peuple murmurant après trente ans d'enfermement qu'à l'avenir il est également prié de rester chez lui. Il faut avoir humé l'atmosphère encharbonnée de Weimar pour apprécier à sa juste valeur le culot du personnage.

Et puis, malgré tout, je l'observe de nouveau, cet homme vieux et fragile au regard courroucé et à la tête pleine de Marx et de Lukács, qui dénonce la prolifération du capitalisme mais n'a pas la patience de le combattre par les voies têtues de l'érosion goutte à goutte, un rêveur hâtif bourré d'illusions, qui appelle de ses vœux une conférence de la paix – laquelle devra durer deux ans et réunir tous les pays autrefois occupés par l'Allemagne, avec en plus Israël et les pays arabes. Pensez un peu, quel merveilleux congrès, où l'on parlerait de la RDA au passé, quelles retrouvailles perverties d'amis et d'ennemis anciens et nouveaux, autorisés à dresser un catalogue de faits accomplis !

Deux ans ! Dieu seul sait de quoi la carte de l'Europe aura l'air dans deux ans ! Pas question d'attendre aussi longtemps : j'ai décidé d'aller à Weimar.

17 février 1990

INTERMÈDE
VESTIGIA PEDES

Je voulais aller à Weimar, mais je retardai mon départ. Je fis un pas en arrière dans le temps et me changeai en "troisième personne", en un voyageur que j'avais été naguère, un visiteur de Munich, un étranger qui tentait de réfléchir à l'histoire de la ville où il séjournait.

C'était un automne. C'est l'automne. Le voyageur, quelqu'un, lui, moi, franchit la porte vitrée de son hôtel, au bord de l'Isar. Pas de doute possible, c'était bien le matin. Pourtant il n'avait pas pris de douche, peut-être parce qu'il refusait de se laisser déposséder de la nuit, province du rêve. Dans ses rêves, des femmes lui étaient apparues et ces femmes, bien que désormais sans visage, allaient ce matin-là lui mener la vie dure. Literie et caractère national – il y avait une thèse à faire sur ce grave sujet. Couettes de duvet, rêves allemands, formes imposantes, agitation lascive.

Sans être bas, le ciel est gris. Rétrospectivement, il ne sait plus lequel des deux phénomènes mobiles attira le premier son attention, la masse orange du *Schienenraumwagen** 303, ou la formation triangulaire d'oies sauvages qui, largement déployée, passait haut dans le ciel. Tous deux figuraient un élément de mouvement auquel, en sa qualité de voyageur, il était sensible. Ce qui bougeait frappait sa rétine avant tout le reste, comme chez les chats ou les enfants. La

* Littéralement "véhicule sur rails", tramway. *(N.d.T.)*

figure euclidienne qui s'inscrivait au ciel l'émut, car elle lui indiquait où était le sud. Si le triangle, là-haut, avait été la pointe d'une flèche et que celle-ci se fût trouvée au niveau de sa poitrine, elle lui aurait transpercé le cœur. Il savait désormais que la Maximilianstrasse, qui s'étendait devant lui et où le *Schienenraumwagen* élevait sa plainte mordante en rabotant les rails, croisait d'est en ouest la trace des oies. Il suivit des yeux le vol ordonné et sérieux des oiseaux – eux, au moins, avaient un but – et se demanda ce que les augures de l'Antiquité y eussent découvert. En même temps il éprouvait le désir de prendre son essor et de voler, comme cela lui arrivait dans certains de ses rêves. A lents battements d'ailes, tel un coureur cycliste au trop grand braquet, il raserait les remous de l'Isar et les murs de l'hôtel, déterminerait sans la calculer une trajectoire, une ligne droite qui l'amènerait le plus rapidement possible à sa place à l'arrière de la formation. Pas une des autres oies ne tournerait la tête, le froissement de ses grandes ailes se mêlerait à celui des leurs, son long col se tendrait, son bec pointerait dans le sillage du guide solitaire à la première place, celui qui *savait*. Les oies voyaient-elles le paysage ? Voyaient-elles des repères ? Des collines, des méandres de rivières, des clochers, des chemins connus d'elles ? L'ordre rigoureux de leur vol l'emplissait de tristesse, de cette mélancolie traîtresse que suscitent les formations militaires chez ceux qui pourtant les méprisent, parce que eux-mêmes appartiennent au chaos.

Les passants sont égaux entre eux, tout passant est le passant de l'autre. En ce moment, le voyageur n'est pas très intéressé par lui-même, aussi ne les regarde-t-il pas. On peut les voir sur des photos, un groupe de gens attendant le tram. Il figure lui-même sur une de ces photos, quelqu'un ou personne qui vient de descendre du trottoir et de faire les dix pas qui le séparaient de l'arrêt. Le petit haut-parleur fixé à côté du panneau annonce : *Fahrer Wegner kommen Sie bitte zurück zur Station*, “Conducteur Wegner, vous êtes prié de revenir à la station”, mais il est autre chose qui exerce sur lui une attraction plus forte. Il a tout le temps de se glisser dans la peau du *Fahrer Wegner*. D'abord, le monument.

En face de l'arrêt où il se tient, un second arrêt offre un reflet du premier. Le monument se dresse au bout de ces deux haltes. Les rails s'écartent doucement en décrivant un large cercle pour mieux embrasser le monument. Les passants, ceux qui attendent le tramway à l'arrêt d'en face et le reflètent lui-même, avec les occupants de son arrêt, sont de taille plus petite qu'à l'ordinaire. C'est la faute du monument, dont tous les personnages sont beaucoup trop grands. C'est d'abord la femme qu'il voit. Quelle que soit la nature de ce qu'il a rêvé (de ce qui l'a rêvé) cette nuit, elle est là, solidifiée, devant lui. Excitation devant une femme de bronze beaucoup trop grande – il n'y échappe pas. Cela vient, croit-il, de son pied. Les guides touristiques sont l'antidote de sentiments par trop anormaux, c'est pourquoi il se garde bien, pour l'instant, d'ouvrir le sien. Il se lance dans une liaison avec la statue. La femme a un visage que l'on peut qualifier de grec sans plus de commentaires, nous savons en effet ce que cela veut dire : une forme de sévérité d'où le mystère n'a pas disparu. Son voile, son foulard rehausse cette impression. Son corps impressionnant est assis sur le rebord trop étroit qui entoure le polygone et, de ce fait, son dos est un peu penché en avant. Sa robe tombe en plis souples, mais en plis de bronze, sur son implacable cuisse et là où, sous ce vêtement trompeur, la cuisse progresse vers le ventre (sa cuisse, son ventre), est dressé le livre sur lequel son poignet gauche repose. Une statue qui ne suscite pas au moins une fois la pensée que sous ce bronze, qui figure une étoffe, se dissimulent un corps, un sexe, des

Monument à Maximilien II, Munich.

intestins, un foie, un cœur, un corps qui sent et qui, sans bouger d'un pouce, respire avec une haleine de bronze presque toujours imperceptible, une telle statue ne mérite pas notre regard. Bien entendu, elle voit aussi.

Mais revenons au pied. Pour commencer, il est nu. Le voyageur doit donc penser que ce pied de femme a peut-être froid, sinon la statue n'existe pas. Il n'y a là aucune sensiblerie. Il s'est avancé jusqu'au-dessous du pied, aussi long que sa main et son avant-bras ensemble. De l'endroit où il est, il ne peut toucher le pied, il devrait, pour ce faire, gravir la première marche du monument, et le moment n'en est pas encore venu. La grisaille du ciel a disparu, comme par un fait exprès. Le soleil éclaircit le bronze. Le gros orteil brille d'un éclat plus fort que le reste du pied. Il a déjà observé le même phénomène au Vatican, à Saint-Jacques-de-Compostelle. Conséquence de l'attouchement d'innombrables mains : idolâtrie, paganisme. Il n'est donc pas le seul. Les marches du monument sont rapiécées, comme certains jeans, il le voit sans le voir. Même chose pour cette demi-lune inversée accrochée au ciel soudain devenu bleu. Que fait-elle là ? Il s'assoit sur la pierre glacée, chair contre marbre, et ne se laisse pas distraire. Elle a croisé les jambes aussi négligemment que peut le faire une géante de bronze. Son pied gauche se trouve ainsi à droite de son pied droit. C'est son pied gauche qui importe. Il est plus haut que l'autre. Aux deux pieds, le gros orteil se relève et s'écarte des autres doigts, mais seul celui du pied gauche brille. Pour les autres aussi, apparemment, c'était lui qui importait, sans doute parce qu'il est en suspens. Le pied droit, lui, repose sur une marche. Les deux pieds sont à demi recouverts par l'ourlet de la robe. Il est moucheté de vert, ce bronze, une moisissure, une gale d'airain, un vert mêlé de gris vénéneux, parfois même de blanc, la morsure d'un cuivre dégagé de la terre, l'oxydation. Mais ne nous égarons pas. Il s'agit plutôt de ce qui arriverait si elle se levait.

Non, ce n'est pas tout. Il faudrait aussi que le sol fût de boue tendre. De glaise, d'argile, de vase. L'empreinte de ses pieds dessinerait la position de ses jambes, indiquerait son poids, sa taille. Ses traces. *Vestigia pedes*, les traces que l'on suit à la chasse. Mesure, piste. Bouddha mesura toutes choses existantes en faisant sept pas dans toutes les directions de l'univers. Vishnu en fit autant en trois pas, un pour la terre, un pour le monde intermédiaire, un pour le ciel. Ou bien un pour le soleil à son lever, un pour le soleil à son zénith, un pour son déclin. La chasse au divin : on peut suivre la piste jusqu'à la porte du Soleil, ensuite elle devient invisible – la divinité n'a pas de pieds. Mais le voyageur n'a pas l'intention de parcourir cette distance, ce monde n'est pas le sien. Il n'est pas à la chasse, la femme n'est pas une déesse. Son pied est ici. Le voyageur a pour objet le mouvement, il se meut à travers le monde. Ce mouvement commence et finit avec un pied. Un seul, pas deux. Il est toujours un pied pour être le premier, un pour être le dernier, ainsi fait-on un pas.

C'est pourquoi, pense-t-il, de tout ce qu'il voit d'elle, il choisit le pied. Ainsi commence leur liaison. Son rêve de la nuit passée, lorsque tout était noir et qu'il se cachait sous ce noir, se poursuit. Elle se lève dans un grand grondement de bronze. Elle dépose le livre, et l'on croirait entendre le coup de cloche de une heure du matin. Aucun des lits qu'il connaît ne serait assez grand pour l'accueillir ; avec un bruit de tonnerre, sa robe, son voile, son épée tomberaient sur le sol de marbre à côté de cet improbable lit, sa gravité néo-classique s'effacerait de son visage, le masque de justice qu'elle porte éternellement tomberait, mais son désir le remplirait d'effroi, elle le broierait de ses attouchements, l'écraserait de ses caresses, elle croiserait les pieds au-dessus de lui, le gauche plus haut que l'autre, et l'orteil luisant accrocherait les rayons du soleil. Rien ne subsisterait de lui qu'une poignée de limaille, de fer, de bronze, semblable à de la cendre, une poudre, un souvenir.

Sur tous les toits, il voit à présent des témoins, des corps, des silhouettes, des statues. Elles haranguent, gesticulent, ondulent, démontrent, interprètent leur rôle. A quand remontent les premières statues en ronde-bosse ? Celles-ci ont hérité leur indépendance de la Renaissance, du baroque. Le contre-jour l'empêche de distinguer leurs visages, là-haut sur la corniche, mais si elles y sont perchées, ce n'est pas non plus pour leur visage, elles ne sont que de vides expressions de faste, armées de leurs attributs, glaives, crosses, couronnes de laurier, cornes d'abondance, palmes, livres, balances, torches, lances, peuple de figurants de pierre qui n'ont à incarner que des abstractions, vertus, qualités surhumaines, *attitudes*.

Esclaves enrégimentés, valets platoniciens au service d'idées, plantés à tant de mètres les uns des autres, acteurs rivés à leur place, ils nichent là-haut, où règnent les valeurs transcendantes auxquelles les occupants de l'arrêt du tramway sont tenus d'aspirer, auxquelles ils doivent tendre. Cette tribu de pierre occupe des ponts, des parcs, les toits de palais et d'églises. Ils sont des dizaines de milliers, et malheur au monde si jamais ils entrent en rébellion, s'ils quittent un jour leurs balcons, leurs obélisques, leurs colonnes, leurs parapets, leurs arcs de triomphe, leurs belvédères, leurs nécropoles, leurs basiliques, leurs parlements, leurs temples, leurs monuments, peuple de convives de pierre en quête de vengeance. Seules les trompettes des derniers jours peuvent accompagner leur marche. Le bruit de leurs épouvantables pas est intolérable.

Rêve d'amour, apocalypse. C'est aller trop vite. Le voyageur recule d'un pas et considère l'ensemble du monument. Son guide touristique, un citoyen sec comme le papier, avait déjà eu l'occasion de s'inquiéter. Les monuments ne sont pas faits pour être regardés avec hystérie. Ce n'est pas l'avis du voyageur. Seul le regard hystérique discerne l'intention cachée, l'origine, ce qui ne se voyait pas tout en étant bel et bien là. Mais le voyageur est poli, il l'a toujours été. Il écoute. "Le monument, dit son guide, a été élevé en l'honneur de Maximilien II, qui a également fait percer cette large et superbe avenue, et tracer le Maximilianeum, si agréablement situé sur l'autre rive, en surplomb de la rivière." Les quatre figures assises, au nombre desquelles se trouve le fantasme de bronze du voyageur, personnifient les vertus du monarque. De quelles vertus s'agit-il, le guide ne le dit pas, il suppose que le voyageur le sait. Quelles sont les vertus d'un monarque ? Sagesse, prudence, justice, force ? Et elle, qu'est-elle donc ? La justice, pense le guide, mais cette idée ne plaît pas au voyageur. D'ailleurs, pour quelle raison devrait-elle personnifier quoi que ce soit ? Pour la seule gloire de ce roi de Bavière depuis longtemps disparu, qui se tient perché là-haut. Et à quelle hauteur !

D'abord viennent quatre putti (selon le guide, mais alors ce sont d'énormes putti. Un putto doit faire songer à un agnelet, à un ange-nourrisson, qui vient tout juste d'apprendre à voler, si tant est qu'ils le puissent avec ces ailes trop petites, d'ordinaire assez ridicules, attachées à des corps enfantins trop grassouillets. Ces putti-ci sont plutôt du genre veau ou génisse, ou du moins leur correspondant chez les anges), puis un piédestal trop haut et, là-dessus, ce roi plus grand que nature, avec son manteau tombant sur ses talons pour allonger encore sa taille. Non, décidément, les Wittelsbach ne se prenaient pas pour rien. Ducs, princes-électeurs, rois, ils se sont tissés dans l'histoire de cette ville de 1180 à 1918, la ville est impensable sans leurs noms. Telle est l'opinion du guide. Et celle aussi du voyageur, au moment où il met le cap sur la rivière, qui était là avant l'arrivée des hommes et des ducs. Il s'accoude à la balustrade de pierre et plonge du regard dans l'eau claire et rapide qui descend des Alpes. Le voyageur veut toujours connaître le passé de son présent, il aime à savoir où il est, et sans l'histoire on n'est nulle part. Cela s'applique non seulement à cette litanie de noms de rois et d'actes par eux accomplis, mais aussi à la terre qu'il foule. Trias, tertiaire, deux cents millions d'années, il veut le savoir, il le faut. Sinon, il ne sera pas là où il est. On a besoin d'une méthode, pour être quelque part où l'on n'a pas sa place. Un million d'années, ce nombre constitue sans doute l'étalon le plus singulier imposé à la vide contradiction du temps, pourtant c'est bien la mesure dont il se sert pour savoir où il marche. Il y a tant de millions d'années, les Alpes ont été soulevées et pliées comme un chiffon de papier ("elles sont apparues", dit le guide, qui préfère cette image), et les plus hautes montagnes se sont constituées à partir de formations calcaires dures. Une histoire sans spectateurs, grès tertiaires, moraines glaciaires, masses de débris, pierraille. Juste au-dessus de Munich, la couche rocheuse s'amincit, la nappe phréatique traverse les graviers de surface et forme des marais que l'on appelle ici *Moose. Das Erdinger Moos*, "le marais d'Erdinger". *Das Dachauer Moos*, "le marais de Dachau". La langue elle-même, pourtant apparue beaucoup plus tard, fait partie du paysage. La rivière, dont l'éternel mouvement et le perpétuel murmure donnent au voyageur un léger vertige, s'est ici taillé un lit dans le sol, elle l'a poli, elle continue à le faire sous ses yeux, il s'en aperçoit aux graviers de son lit transparent. Plus tard dans la journée, lorsque, chez un antiquaire, il examine des plans anciens de la ville, et même les plus anciens, il s'émerveille de la fidélité des fleuves, de leur force. Tout change, le hameau groupé autour du monastère (Munich, *München*, moines) devient un village devient un bourg devient une ville, éclate comme un ballon et la rivière continue à raviner le sol à l'endroit où elle l'a toujours fait, et à produire le même bruit qu'aux temps où nul ne l'entendait. Ah oui, comment le savez-vous ? Les bruits sont-ils les mêmes lorsque personne ne les entend ? Le voyageur préfère réserver ce sujet de réflexion pour plus tard. Il a traversé pour se pencher à l'autre balustrade, il voit une sculpture moderne à la substance corrodée, un cheval qui mord son cavalier au moment où celui-ci, mains écartées, tombe au-devant de sa catastrophe.

Le voyageur peut maintenant prendre deux directions différentes. La rivière forme la frontière, le mur. S'il va vers le Maximilianeum, il aura l'impression de quitter la ville qui, derrière son dos, continuera à grommeler. Le feuillage qui borde l'eau sur l'autre rive évoque pour lui un territoire "hors les murs", c'est là qu'il veut aller. Dominant le tout, un ange d'or lui fait signe, mais il n'a pas encore passé le pont qu'une nouvelle forme féminine s'interpose entre lui et cette vue et, à son tour, lui intime l'ordre de s'arrêter : Athéna. Que fait-elle ici ? Qu'a-t-elle à lui dire, sur qui veille-t-elle, qui protège-t-elle ? "Erigée en 1906", dit le guide, mais sa présence n'en devient que plus absurde. Quelqu'un l'a arrachée à son époque pour l'entraîner jusqu'à ce siècle, mais quelle peut être la signification d'un anachronisme aussi éhonté ? De quel droit fait-on entrer dans sa ville une déesse désaffectée ? Pour prouver que, si cette déesse vous convient, vous lui convenez aussi, que vous êtes une parcelle de l'impérissable Antiquité, d'une nouvelle Athènes ? Cette statue, elle aussi, écrase le voyageur de sa taille, de sa plénitude nibelungénienne, de sa pléthore, on dirait qu'elle va se mettre à chanter.

Hier encore, il a vu une effigie parfaitement légitime, elle, de la déesse ; c'était à la collection des antiquités. Là, son péplum tombait droit, en plis verticaux, et son visage avait une expression absente, étrangère au monde, un sourire bouddhique. Deux trous apparaissaient entre ses seins à peine existants ("sa poitrine presque garçonnière"), ils avaient servi à fixer la tête de Gorgone aujourd'hui disparue. La déesse du pont porte elle aussi un péplum dont les plis tombent verticalement, mais ils ont perdu tout hiératisme, ils courent sur le galbe voluptueux d'un ventre. La femme en devenait moins mystérieuse, car possible. Pourtant il y avait en elle aussi quelque chose qui lui plaisait et c'était une fois encore – craignait-il – cette taille surhumaine, cette exagération de pierre. Il se demanda pourquoi. Ne pouvait-on soutenir que des escaliers sans fin ou des gratte-ciel vous rapetissent, tandis que des statues, à l'inverse, vous grandissent, parce qu'elles incarnent la possibilité platonicienne, pour l'homme, d'être soi-même aussi grand ? Le genou droit d'Athéna saillait légèrement, mais il était impossible de le toucher. Pourtant cette possibilité n'en était pas moins concevable, là résidait sans doute le secret. Il décida de la planter là et de continuer sa route en direction de l'ange. L'ange était si haut perché qu'il ou elle appartenait déjà à l'espace aérien. Le voyageur voyait la statue étinceler au-dessus des arbres comme une brûlure d'or. Là où il marchait, les frondaisons étaient vertes, même si les premières feuilles commençaient à jaunir. Et l'endroit était assez désert. Quelques vieilles dames, une trop longue plume de dahu piquée dans leur chapeau vert de chasseresse, tribu indienne d'un genre particulier. Des chiens aussi, le nez fourré dans les odeurs cachées d'autrui, zigzaguant et reniflant, en quête des truffes du plaisir canin.

A la façon dont la lumière tombe sur le sol entre les arbres, il s'aperçoit, pour la première fois peut-être, que les hêtres portent aussi des feuilles à leur pied, les rayons du soleil les traversent. Il entend le bruit étouffé d'une bêche dans la terre, à l'agréable régularité. Où ce bêchage a-t-il lieu ? Il ne le voit pas, mais il lui suffit pourtant de l'entendre pour le voir : le bord tranchant du métal qui entaille la terre humide, le bref instant de silence, puis l'éclatement sourd de la terre retournée qui retombe. Une exhibition de nature, ce parc, mais une exhibition apaisante. Le murmure du courant, le creusement de quelque chose qui pourrait être une tombe, mais ne l'est pas, le crissement des pas des rares passants sur le gravier, de temps à autre un soupir du vent dans le feuillage, le grondement lointain de la circulation couvert, étouffé. Automne, *Herbst*, *harvest*, récolte, en l'occurrence celle des pensées. Le voyageur, nous, vous, lui, s'est assis sur un banc et repasse les images vues, son amante de bronze, *errichtet von seinem Volke*, le monument "érigé par son peuple", les gesticulateurs aux couronnes de laurier, le cheval qui mord, Athéna. C'étaient les impressions d'aujourd'hui, celles d'hier étaient la Glyptothèque, les propylées, les façades doriques et ioniques, les illusions d'une Grèce recréée, nostalgie et revendication. La nostalgie se comprend aisément, et même la revendication ne lui paraît pas étrangère, cette appropriation d'un passé qui rend le présent plus supportable : pourquoi pas, en effet ? La langueur du romantisme appelle l'austérité du néo-classicisme. Mais elle se teinte ici de pouvoir : pouvoir et nostalgie, une variante allemande, peut-être. Le passé, une fois débarrassé du bran et du sang de l'Histoire, épuré et raffiné, est un objet de convoitise pour les potentats. Qui se donne un passé grec, qui construit les édifices d'une autre époque, déforme le présent. Oui, mais la Renaissance ? Justement : entre renaissance et usurpation, il y a une différence. Il ne s'agit que de décor : les dieux anciens sont si bien morts qu'ils ne peuvent plus nuire au Dieu moderne. Elever des statues à des dieux sans pouvoir, qu'est-ce que cela peut bien vouloir dire ? Mais le voyageur se rend compte que ce n'est pas cela qui le gêne. Les dieux, en fait, ne meurent jamais complètement, ils continuent de lancer leur appel, du simple fait que, demeurant visibles, ils nous dévoilent un peu de leur être ancien, de leur action, de leur origine. La clarté de leurs actes les rend si exemplaires qu'ils ont encore quelque chose à nous apprendre sur nous-mêmes. Non, son sentiment de gêne vient de la relation privilégiée que la langue allemande prétend entretenir avec ce monde ancien, et qui se manifeste dans la pompeuse reconstitution de la place Royale. N'avait-il pas pensé lui-même que nulle part la saveur de l'antique ne s'était mieux conservée, n'avait été mieux ressuscitée que dans l'allemand de Hölderlin, et qu'aucune des autres langues qu'il aimait n'était capable d'une telle prouesse ? N'était-il pas lui-même victime de cette culture classique déboussolée, des échos germaniques dans la poésie de Boutens et de Leopold* ? Des inversions et des chiasmes, des conjugaisons rebelles, des transcriptions puristes, *Platoon*, par exemple, au lieu de Platon – si bien qu'en voyant le titre d'un film américain sur le Viêt-nam, il avait pensé au philosophe grec, et non à un petit détachement militaire ?

A présent le voyageur, comme toujours, se prend à douter. Tout d'abord, au bout de l'imitation d'allée forestière où il marche, il voit l'ange d'or lui faire signe de ses hauteurs, il croit même entendre le vent faire claquer ses ailes féminines (cet ange est une femme). Mais d'autre part, en lui-même, la contradiction s'est faite plus

* J. H. Leopold et P. C. Boutens, deux hellénistes, traducteurs et poètes néerlandais du début du siècle. *(N.d.T.)*

troublante. Il a beau jeu de traiter de "pompeuse" la place Royale, il ne s'y est pas moins promené au clair de lune, tel un personnage d'une aquarelle de 1830, et cette sévérité, pourtant estompée par la nuit, lui avait donné le sentiment médiumnique d'être "ailleurs", non seulement en un autre lieu que celui où il se trouvait en apparence, mais aussi en un autre temps ; or ce sentiment, il se rappelait l'avoir éprouvé dans sa jeunesse, en lisant *Actéon sous les étoiles* et *l'Apollon mutilé* de Vestdijk* : il pensait alors que l'écrivain disposait de dons médiumniques particuliers qui lui avaient permis de se transporter dans la Grèce antique pendant la rédaction de ses romans, non seulement sur les lieux, mais aussi à l'époque. Jamais le palais Bourbon ni la Madeleine ne lui avaient procuré la même sensation, et moins encore le cristal taillé de Corneille et de Racine, tandis qu'il suffisait des vers :

*Blüht Ionien ? Ist es die Zeit ? Kommen die Kräniche wieder***...

("L'Ionie est-elle en fleurs ? Est-ce le temps ? Les grues reviennent-elles ?") pour lui donner, aujourd'hui encore, cette ivresse de lycéen helléniste qui faisait partie des grandes extases. D'un autre côté – et cette fois, son débat intérieur prenait une tournure moins élevée – n'étaient-ce pas les mêmes classicisants de l'école allemande qui avaient recouvert de leurs implacables *k* les *tch* familiers de la tradition catholique, si bien qu'il y avait aujourd'hui des idiots pour vous parler de *Kikero* – ce qui faisait surtout penser à *quésaco* – ou même d'*ekke homo*. Soudain, il les revit, les deux moines qui lui avaient appris le grec et le latin, il y avait désormais plus de quarante ans. Le professeur de grec s'était effacé définitivement derrière son surnom et, même dans ses souvenirs,

* Simon Vestdijk (1898-1971), romancier néerlandais. *(N.d.T.)*
** Citation libre d'un poème de Hölderlin : *L'Archipel. (N.d.T.)*

ne s'appelait plus que "papa", lui qui avait l'habitude de lancer à tout le monde un invariable "ah, mon enfant !" (et c'était vrai, jadis, dans ces irrémédiables lointains, le voyageur avait été un enfant) ; il avait aussi une curieuse façon de happer l'air en avançant la bouche, donnant ainsi l'impression que les vers ciselés d'Homère s'y tenaient en suspens devant lui, ou que Platon, invisible dans l'éther, le nourrissait de ses dialogues par bouchées comme il eût fait d'un animal domestique d'un nouveau genre. Le latin leur était enseigné par Ludgerus Zeinstra, un vieux et gros moine aux cheveux blancs, à la bure éternellement piquée de cendre. Son latin avait l'accent frison, sans doute, mais était exempt de ces *k* impropres et abusifs dans *Kikero* et *Kaesar*, en dépit de tous les *Kaiser* allemands. Qui avait raison dans cette querelle ? Aujourd'hui encore il s'en moquait. La sensualité des sept collines ne tolérait pas le staccato de ces *k* heurtés, l'idée que Ludgerus Zeinstra eût dû dire, devant l'autel, *Ekke kalix sanguinis mei* méritait tout simplement l'anathème, et il était également impensable que le voyageur lui-même, doué jadis d'une voix de soprano et entouré d'autres voix semblables, eût prêté ce registre, synonyme d'innocence, à un *Regina Koeli, laetare, alleluia.* Ainsi mit-il fin à ses cogitations, ou à ce qui en tenait lieu, car il était parvenu au terrain où se dressait l'ange et, là non plus, étant donné son passé, il n'était pas libre de penser ce qu'il voulait.

A ses côtés s'éleva le marmottement du guide. Ce n'était pas pur verbiage, on aurait plutôt dit des séries, une litanie. Ce qu'il avait là sous les yeux constituait le couronnement de la Prinzregentenstrasse, et chaque détail renfermait une allusion à autre chose – on eût dit qu'avant le modernisme, le postmodernisme existait déjà. Inanité de ces dénominations. Il observait de curieux rebonds de l'histoire : une architecture empruntée à de vieux thèmes, qui avait eu cependant sa nouveauté à la fin du siècle dernier, et qui aujourd'hui, en dépit de toutes ses citations grecques, romaines, florentines, avait pris un air irrémédiablement *fin de siècle*. L'œil ne se laissait pas abuser. De la même manière, un beau jour, en dépit de la polyvalence proclamée des styles, l'architecture postmoderne n'aurait plus l'air d'une nouveauté mais deviendrait plus ou moins la marque de l'époque où il avait vécu. Il en éprouvait comme une souillure. Bien sûr, rien ne pouvait exister sans emprunts, sauf aux temps où il n'y avait encore rien à emprunter, mais sa déambulation au milieu de toutes ces re-créations – tiens, revoilà une colonne corinthienne, et encore des médaillons, des mosaïques, des pilastres, des parterres à la florentine –, tout ce *déjà vu* répété et torsadé, toutes ces choses que, prises séparément, il trouvait "belles", l'emplissaient en même temps de rancœur. Et pourtant c'était beau, on ne pouvait le nier, et le plus absurde était que cette beauté ne pourrait qu'augmenter avec le temps. Encore un siècle ou deux de neige, de grêle, de foehn, de brumes de l'Isar, de soleil alpestre sur ces pierres et, devant elles, de spectateurs toujours plus ignorants, et ces monuments acquerraient une antiquité irrémédiable, impérissable, ils renverraient à une préhistoire peuplée de figures mythologiques : Bismarck, l'empereur Guillaume Ier, Moltke. Ceux-ci rejoindraient peut-être, dans l'échelle des êtres, l'inintelligibilité des huit adorables cariatides qui supportaient la masse de la colonne surmontée de l'ange, lequel n'était pas un ange mais une Niké, une déesse de la victoire d'Olympie, un double emprunté à l'an 400 avant le Christ, une femme ailée chargée de symboliser la paix ; et cette paix était alors aussi éloignée dans le passé que la prochaine guerre l'était dans l'avenir, guerre à laquelle, dans ce même avenir, succéderait une autre qui aujourd'hui, pour le voyageur, appartenait au passé. De quoi s'y perdre.

Le soleil étalait une insolente couche d'or sur l'or brisé de la mosaïque, et à l'or il ne pouvait résister, c'était tout simplement sa couleur, pas plus qu'il n'était capable de résister à cette immobile gent féminine, les cariatides : il leur suffisait de faire un pas de côté, et tout le monument s'effondrerait avec sa colonne de vingt-trois mètres, et l'ange d'or, évidemment beaucoup plus grand, lui aussi, que le voyageur n'avait cru, s'étendrait en pièces à ses pieds, mort, un ange tombé. Allons, cela suffisait, et il s'assit sur un banc du parc, parmi les roses de Rilke. Le parfum flottait, l'encerclait littéralement, irrésistible volupté de mille sonnets. On aurait dit que l'archaïsme des monuments commençait à contaminer de proche en proche la vie quotidienne. Le vagabond allongé sur le banc d'à côté, avec sa bouteille renversée sur le gravier, n'était pas un clochard, mais un chemineau sorti d'une fable. Il avait envoyé promener ses souliers déchirés et s'étalait là avec son sac en plastique bourré, son sommeil, ses cheveux emmêlés. Ce contexte d'acacias taillés et de lauriers classiques lui conférait une allure héroïque, n'allait-il pas se redresser et réciter un interminable poème plein de tournois, d'amours contrariées et de miracles ? A son tour, le voyageur s'étendit sur son banc et fixa l'ange entre ses paupières mi-closes. C'était dangereux, car, ce faisant, il se sentait aspiré vers le haut. Là, tout pouvait arriver. Car enfin, cet ange était une femme, et c'était étrange. En principe, les anges, sous le rapport du sexe, ne sont généralement personne. Un jour il s'était demandé à quoi pouvait ressembler le squelette d'un ange et si, dans la classe où on l'exposerait, on pourrait voir nettement la place où l'articulation des ailes s'insérait dans le système osseux angélique, mais les immortels n'ont évidemment pas de squelette.

Ce qui doit rester invisible pour l'éternité n'existe pas.

Elle avait de l'élan, cette femme, là-haut, et pour la deuxième fois de la journée il ressentit, en dépit du danger, l'envie de s'envoler. Le vent la caressait, c'était visible, elle s'élançait au-delà de l'Isar, elle se jetait en pleine ville. Le vent plaquait sa robe d'or sur son ventre et sur ses seins, la plissait entre ses cuisses d'or, femme plongée dans le soleil. Quel homme d'or la visitait la nuit pour s'accoupler avec elle en plein ciel, comme font les oiseaux ? En fermant presque complètement les paupières, il transformait l'or de son image en longs traits déchirants, en étoiles de quasi-cécité. Parfum de roses, étoiles d'or ; s'il continuait sur sa lancée, il allait devenir un poète illisible d'une anthologie à un mark, Richter von Engelstein (Munich, 1876-1899).

Le guide le tira par la manche. Il n'en avait pas fini. Le travail l'attendait. Ils s'attardèrent encore un peu devant le socle de la colonne. Les cariatides n'avaient pas bougé. "La paix, la guerre, la victoire", marmonna le guide, doigt tendu. "Bienfait de la culture." Mais, une fois encore, il avait cessé de regarder. Comme toujours, l'attention du voyageur était attirée par un détail privé de sens. Vains ornements, rosettes, casques sans tête, cuirasses sans torse, visières sans yeux, l'uniforme du Héros, mais sans héros. Objets entourant quelque chose, et ce quelque chose n'était rien. On aurait dit qu'un déclic subit le projetait de nouveau dans son époque. C'était bien ainsi, pas autrement. Il allait repasser le pont, sans jeter un regard aux pierres censées représenter les peuples d'Allemagne, et rentrer en ville. Il y avait aussi d'autres Munich.

INTERMÈDE
TEMPS IMMÉMORIAUX

Certaines villes satisfont à leurs obligations. Elles fournissent au voyageur l'image qu'il attend d'elles, même si cette image est fausse. Notre voyageur, qui vient de laisser derrière lui l'ange de la Paix (il sent encore dans son dos le geste d'or de son adieu) et qui, frôlant la verdoyante séduction du Jardin anglais, se dirige en flânant vers la Prinzregentenstrasse, est sensible à l'élément martial de la ville où il circule. Salle des Maréchaux, porte de la Victoire, salle de la Gloire, tombeau de l'empereur Louis de Bavière, avec son marbre noir, et que son auteur qualifiait de *castrum doloris*, "citadelle de douleur", l'esprit militaire n'est jamais bien loin. Il pointe même dans la mise des passants, chapeaux fringants, plumes conquises de haute lutte, vestes vertes, on dirait que ceux qui les arborent, pour la raison même qu'ils constituent une minorité, se déplacent à travers la ville selon un plan stratégique, chacun exécutant sa mission. Il ne s'agit pas d'uniformes, mais de costumes traditionnels, lui a expliqué un ami allemand – et pourtant, les personnes qui portent de tels costumes ont quelque chose de cuirassé, leurs manteaux de loden évoquent des chapes de plomb*. Des hommes de fer en manteaux de plomb.

Autour d'eux flotte le souvenir de temps immémoriaux. Hallali, sourdes détonations dans des

* En néerlandais, le mot *loden* est aussi un adjectif signifiant "de plomb". *(N.d.T.)*

forêts obscures, veillées devant les feux, chants inintelligibles. Le voyageur a vu un jour une photo de Heidegger en costume traditionnel. Il se garde bien d'en tirer des conclusions trop à la mode, après tout n'a-t-il pas lui-même posé un jour en habits folkloriques de Volendam ? Mais il avait, lui, plutôt l'air comique. Pas Heidegger. Pouvait-on revêtir pour penser une sorte d'uniforme (car c'était bien cela tout de même) ? Et était-ce bien le même homme qui, dans ses écrits, traitait de l'ennui, de l'angoisse et du temps, et qui s'était risqué à ligoter le néant dans des cordons de mots ?

On ne voit que ce que l'on veut bien voir, lui avait dit son ami, et tel était bien le problème. On pouvait difficilement se supprimer soi-même, et ce que l'on voulait voir s'appuyait sur le souvenir de ce que l'on avait vu jadis, d'autres uniformes devant les mêmes décors, toujours reconnaissables, des marches, des manifestations. Pourtant il pressa le pas lorsqu'il perçut, venant du côté du Hofgarten, les bribes étouffées d'une musique militaire. Il l'admettait à sa grande honte : il avait toujours ressenti de l'excitation à l'audition des marches militaires. Il traversa une grande artère sur une passerelle et parvint auprès d'une ruine. La musique avait cessé ; il y avait un détachement de jeunes soldats, figés dans le plus grand silence. La brise lui apportait des mots : les morts, le souvenir. Il était encore question de cette guerre qui ne voulait pas mourir et qui ne disparaîtrait qu'avec le dernier homme à en avoir senti le goût dans la bouche. Pas avant. En contrebas, il voyait aussi des hommes âgés, des gens qui ne pouvaient avoir été jeunes, qui ne pouvaient avoir été ceux des “Communiqués spéciaux” et des “Bulletins de guerre”, ni les soldats qu'enfant, il avait vus défiler dans la rue derrière des enseignes et des étendards analogues, quoique différents. Elle était d'argent, l'aigle de cet étendard, mais elle avait laissé tomber de ses serres le signe secret, il n'existait plus. Le voyageur sentait son âge se confondre peu à peu avec celui de ces hommes chenus qui formaient là-bas une sorte de carré. Il avait plus de points communs avec eux qu'avec les jeunes soldats et c'était étrange, bien sûr. Il ne parvenait pas à saisir les paroles du discours, mais il n'en avait pas besoin, il les connaissait d'avance. Honneur, fidélité, deuil, sacrifice, temps jadis. Ces hommes cultivaient un autrefois pour avoir un aujourd'hui, et cet autrefois revêtait la forme de fleurs, d'enseignes, de rubans bleu et blanc. Le tout se déroulait derrière des grilles, près d'un fossé, devant une ruine, dans le piétinement de gens qui tirent sur la corde du temps. Il descend lentement les marches et se dirige vers le Hofgarten.

Il s'y trouve nez à nez avec l'ennemi. Au moment où, parvenu en bas, il s'engage dans le Hofgarten, les jeunes soldats tournent à l'angle d'une allée, comme seuls des soldats savent le faire : là où des gens ordinaires décriraient une courbe, ils virent à angle droit. Mais non, ce ne sont pas les mêmes uniformes, mais si, le soldat qui porte l'étendard à l'aigle, dont l'argent scintille au soleil, est bien un grand gaillard blond, mais non, les ordres ne sont pas hurlés, plutôt dits à voix presque normale, et la musique n'éclate pas non plus en accents guerriers, mais est plutôt jouée *en sourdine*, voilée, veloutée – et non : on ne tape pas du pied, car lorsque la musique se tait, il voit les gros souliers, de vrais godillots, se poser en cadence mais presque avec délicatesse sur le gravillon de l'allée, en une sorte de murmure rythmique. Il se replace par la pensée dans un "autrefois" vieux de près de cinquante ans, une entrée en masse, des hommes plus nombreux, des uniformes d'un gris plus profond, plus fondamental. Ceux d'alors avaient des casques qui leur couvraient presque les yeux, faisant disparaître la vision de leur visage et leur enlevant leur personnalité, pour leur donner en échange une intolérable ressemblance où chacun d'eux était devenu l'autre.

Et puis, songeait le voyageur – qui, au même instant, sentait le temps lui teindre les cheveux en gris, le courber vers la terre, instiller la vieillesse dans ses os, lui voiler les yeux et l'obliger à scruter l'horizon à la recherche de lointains dont il devait pourtant venir lui-même –, autrefois les étendards étaient plus hauts, il y avait du cuivre, les bouches chantaient sur une mélodie qu'il n'oublierait jamais. Or les têtes qui défilaient devant lui n'étaient pas casquées, ces soldats, lui semblait-il, étaient pour ainsi dire des *pueri imberbi*. Ils avaient du mal à garder le pas et leurs uniformes, d'un gris beaucoup trop clair, paraissaient appartenir à quelque minuscule principauté oubliée, ils vous donnaient envie d'entonner un chant choral, mais personne ne chantait, il n'entendait que le murmure de ces pas et ne voyait passer que des visages timides, et le vieil homme devant lui qui ôtait soudain son chapeau et *s'inclinait* au passage de l'enseigne et se redressait et c'était lui, le voyageur, qui en avait mal au dos par procuration ; puis ce fut fini. Il recula d'un pas au milieu des buissons de troènes taillés, des fleurs et des plantes contrefaites qui, dans ce coin du jardin, étaient chargés de figurer les couleurs nationales, laissa passer les vieux messieurs entourés de leurs pensées indéfinies, intraduisibles, et se retourna. L'angélus se mit à sonner et il se surprit à murmurer une phrase latine. Dans sa vie, décidément, le temps ne semblait pas vouloir avancer.

Il passa devant les bancs où des gens prenaient le soleil automnal, comme s'ils se hâtaient d'en constituer une provision avant l'arrivée de l'hiver alpin. Ils paraissaient paisibles, abîmés dans leurs rêves ou leurs méditations, les yeux fermés. Bientôt ils redeviendraient des passants anonymes, mais pour l'instant, par leur abandon, avec leurs visages offerts à la lumière, ils étaient les acteurs de leur propre vulnérabilité, jouaient leur rôle de citadins dans un jardin public, cette imitation réglementée de la nature. Au moment précis où il venait de les quitter et s'apprêtait à se diriger vers une colonnade pour y lire les poèmes gravés sur ses murs, une apparition se produisit qui donna à l'après-midi encore neuf une autre tonalité. Une fois de plus, il ne put s'empêcher de songer au passé – après tout, c'est là que se trouvaient la plupart de ses références. Mais l'homme qu'il rencontra venait lui-même d'une autre époque. Il portait un chapeau de paille blanc et des vêtements clairs et était accompagné d'un de ces chiens composés de plus de poil que de chair. Ils se saluèrent comme s'ils se connaissaient ou étaient liés en tout cas par une sorte de connivence. "Cela n'a vraiment pas de sens", dit le vieux monsieur, et le voyageur comprit aussitôt qu'il voulait parler de la cérémonie militaire.

"Où l'ai-je déjà vu ?" se demanda le voyageur, pour s'apercevoir immédiatement qu'il ne le connaissait pas comme individu, mais en tant qu'idée, ou en tant qu'espèce, si l'on peut dire. Plus exactement, une espèce disparue. Un acteur. Théâtre de boulevard, opérette, Schnitzler peut-être. Le survivant de tout un monde. Des photos lui revenaient en mémoire, qu'il avait dû voir autrefois, sans doute même pendant la guerre. Ces photos étaient en couleurs et à l'époque, déjà, la rose piquée dans le complet blanc *palm-beach* était sûrement rouge. Il entendait aussi des noms, Hans Moser, Heinz Rühmann, la voix nasale de Moser, le curieux accent viennois. Il n'avait pas répondu à l'homme, ce n'était pas la peine. Souvenirs. Paul Steenbergen dans une pièce d'Anouilh, la grande époque de la scène néerlandaise, un monde qui semblait aujourd'hui dominé par des talents infantiles. Le vieux monsieur sourit, comme s'il connaissait les pensées du voyageur. Son visage était distingué, enjoué, ironique. Ils échangèrent quelques phrases qu'un auteur avait écrites pour eux et qui ne signifiaient rien, sinon qu'ils appréciaient particulièrement d'offrir au public ce semblant de conversation. Puis l'autre ôta son chapeau de paille, l'agita sur fond de ciel bleu, murmura quelque chose comme *sehr verehrt,* "très honoré", et se retourna pour reprendre sa marche, exactement au milieu de la large allée, conformément aux indications qu'aurait pu donner un metteur en scène. Personne d'autre ne se promenait dans l'allée. Le chien courut derrière son maître et le voyageur les suivit des yeux tandis qu'ils progressaient en ligne droite, franchissant les ombres des arbres et les bandes de lumière qui les séparaient, et restant à égale distance des pelouses qui s'étendaient de part et d'autre de l'allée. Cet homme savait de quoi il avait l'air quand on l'observait de dos, il connaissait sa *place*. Il savait aussi qu'il eût gâché l'effet de cette sortie en se retournant ou en choisissant l'un des bas-côtés de l'allée. Qu'est-ce qui pouvait bien émouvoir à ce point le voyageur ? L'apparition d'un personnage surgi d'un monde disparu ? Il songea à d'autres hommes âgés qu'il avait connus et dont l'un venait de mourir, le père d'un de ses amis, juif, grand cosmopolite, aussi vieux que le siècle, originaire de ce même pays, peut-être de cette même ville, chassé dans les années trente par les "autres", dont le souvenir rôdait également dans ces lieux. Peut-être l'émotion était-elle la *masse* du souvenir, l'ensemble des notions qui se cachaient dans les noms, les parcs, les statues, les arcs de triomphe, et qui s'étaient aussi mêlées de son passé, au point que dans cette partie du monde, la sienne, il semblait impossible de faire un pas sans que ne surgissent devant vous des fragments, des allusions, des incitations au deuil ou à la méditation. Se faire le spécialiste du passé, c'était sans doute pathologique. Les gens normaux s'occupaient de l'avenir ou de ces glaçons charriés par le courant qu'ils appelaient la vie – la vie, une station mobile et sans attaches, en perpétuel mouvement. Sur ce glaçon, il était celui qui regardait en arrière. Tout en Europe était ancien, mais cette ancienneté semblait ici, au centre du continent, posséder un poids spécifique différent. Il se promenait ici dans un royaume disparu, mais cette circonstance n'éveillait par elle-même aucun sentiment particulier – non, les choses sérieuses ne commençaient que s'il continuait vers l'est : le monde pulvérisé de Musil, de la "Double Monarchie", tous ces débris, ces fragments, le pouvoir mué en impuissance, les mondes clos de la Pologne et de la Tchécoslovaquie, arrachés à cette partie du monde, mais aussi la Serbie, la Croatie, la Slovénie, Trieste, le souffle du tourbillon qui avait entraîné ces contrées au cours du siècle et qui les entraînait encore, les doubles mondes perdus d'Isaac Bashevis Singer et de Vladimir Nabokov, de Kafka et de Rilke, de Roth et de Canetti –, ici se trouvait, pensait-il, le poste d'observation d'où le regard plongeait loin dans le temps et dévoilait à quel point ces régions lointaines nous avaient jadis été proches, combien la plaie était profonde. Il fallait descendre dans une mine pour en remonter le passé. C'était un sentiment qu'il n'éprouvait jamais en France, en Italie, ni dans son propre pays. Non que le passé y manquât, mais il s'était, d'une manière ou d'une autre, transformé plus ou moins organiquement en un présent. Ici, l'autre moitié n'avait pas suivi, elle était restée accrochée, enlisée, figée, bloquée, arrachée. Mais elle était toujours là, peut-être attendait-elle son heure. C'est de là-bas que soufflait le vent qu'il sentait sur son visage, un vent chaud, à l'odeur de roussi, et qui semblait avoir quelque chose à dire. Le vieil homme avait disparu depuis longtemps. "Cela n'a pas de sens", avait-il dit et s'il s'était éclipsé dans son déguisement frivole, ses paroles, elles, demeuraient, infiniment moins innocentes qu'au moment où il les avait prononcées. De ce qui s'était produit ici, dans cette ville, de ce commencement vieux aujourd'hui de plus de soixante ans, on ne pourrait jamais dire qu'il n'avait "pas de sens", à moins de prendre pour une fois les mots au pied de la lettre, et d'y voir ce "non-sens", cette négation du sens qui n'avait rien à voir avec la folie – même si l'on se plaisait à définir ainsi la période en question, en raison de l'élément d'irresponsabilité qu'impliquait cette qualification. L'absence de sens, jadis, à ce moment-là. Ç'avait été la fin, une fin qui perdurait et qui, s'il devait en croire ses amis, allait pouvoir être inversée. Mais les serviteurs du passé font de piètres explorateurs de l'avenir, pensa le voyageur en mettant le cap sur les tours de l'église des Théatins, dont la couleur lui rappelait le pudding auquel il avait droit quand il était en pension et qui, selon les élèves, était confectionné le 1er janvier pour le reste de l'année.

Pensionnat, augustins, pudding, repas. On se presse sous la coupole de verre dépoli du restaurant *Augustiner* dans la Neuhausstrasse. Les serveuses sont en costume folklorique, corsages blancs décolletés et rebondis. Elles glissent l'addition dans leur corset, entre les seins bavarois. Tabliers brodés, écharpes rouges, manches ballon, le chœur de *Princesse Czardas*. Il n'a apparemment rien contre les costumes traditionnels lorsqu'ils sont féminins. "Carpe en croûte à la bière brune et aux fines herbes avec ses pommes de terre sautées au beurre. Salade de mâche aux dés de pomme de terre. Boudin naturel de Franconie au sang et au foie. Potage de pommes de terre de Franconie aux cèpes et à l'origan, quart d'oie rôtie de Franconie aux croquettes de pomme de terre maison, chou bleu ou salade de céleri, trois parts de galette de pommes de terre à la compote de pommes, pomme farcie à l'étuvée*."

Cuisine paysanne au cœur de la grande ville, cela n'existe plus dans son pays, mais le terroir a presque disparu de sa terre natale. L'énumération des plats sonnait comme une incantation de l'identité nationale, et pourquoi cela était-il à la fois repoussant et attrayant ? "Traditions populaires" : l'expression était un peu pestiférée, mais elle renvoyait aussi à l'idée de tradition – conservation au sens de préservation, à l'opposé du gaspillage, au sens d'un effort pour retenir le temps à l'intérieur du temps, pour retarder la mort d'un monde familier. Pourquoi certaines formes de conservation étaient-elles bien reçues (ours bruns en Espagne, autours et blaireaux aux Pays-Bas) et d'autres suspectes – tenues folkloriques, langues, danses, plats ? Dans les deux cas était à l'œuvre le même entêtement à travailler à contre-courant du temps, la même impuissance en un combat d'arrière-garde. Le caractère suspect venait sans doute de l'abus que l'on faisait de la tradition quand il s'agissait d'affaires humaines ou que le mot "sang" y était associé à celui qui devenait instantanément son jumeau, le "sol". Il était apparemment impossible de réfléchir à ces choses sans dévider d'abord ce qu'il appelait *le répertoire*. L'esprit, cette instance pensante et sensible, ne pouvait se mettre au travail sans que fût actionnée sa couche superficielle plus ou moins automatique, celle où se trouvait *le répertoire*. Celui-ci renfermait les *idées reçues***, ce que chacun avait à dire sur tout, série de lieux communs à réciter pour que pût prendre son essor la pensée proprement dite.

Cet après-midi-là, il ne parviendrait pas à ce stade, il le savait, il avait trop à voir, et l'acte de voir, du fait de la catégorisation superficielle qu'il

* Tout ce passage en allemand dans le texte : *"Karpfen in Bierteig aus dunklem Bier"*, etc. *(N.d.T.)*
** En français dans le texte. *(N.d.T.)*

supposait, relevait du *répertoire*. Un spécimen punk du genre femelle, une crête de coq raide et noire surmontant son minois innocent, était assis à une des tables : une fille grassouillette déguisée en gladiateur. Il remarqua qu'elle redemandait sans arrêt de la compote de pommes, cette nourriture des petits enfants. La serveuse la traitait gentiment, maternellement. Catégories – limbes de ce qu'il appelait la pensée. Voir, c'est pour cela qu'il était ici. Un homme d'un certain âge en costume traditionnel, avec un gros livre et une chope grande comme un bénitier. A condition de les regarder assez longtemps, le voyageur les verrait, les identifierait tous, comme la liste des "personnages" d'une pièce de théâtre : "Quelques soldats, le prêtre, la dame, une famille distinguée." Il observa l'homme âgé, qui était plongé dans son livre et qui, bien entendu, ramenait sa pensée vers Heidegger. Les costumes traditionnels n'étaient peut-être au fond qu'une forme atténuée d'anachronisme. Certaines personnes portaient des vêtements auxquels, à la même époque, d'autres avaient renoncé, alors que par le passé, tout le monde les mettait. Heidegger avait refusé d'admettre le temps comme série d'instants présents successifs, il avait préféré y voir une cohérence entre ce qui avait été un jour, auparavant, à telle époque, et ce qui serait bientôt, à l'avenir, un jour. Le voyageur, qui ne s'était jamais senti parfaitement à son aise dans le présent parce que sa nature voulait qu'il en eût une vision colorée et déterminée par un passé, se retrouvait largement dans cette pensée. Même un passé étranger à votre vie personnelle apposait sa marque sur bien des éléments de cette vie, impossible d'y échapper, et pourtant la plupart des gens semblaient parfaitement capables de vivre sans songer à un passé, et des pays entiers, lorsque cela les arrangeait, oubliaient le leur avec la plus grande facilité. De l'avenir, le voyageur n'avait jamais grand-chose à dire, sinon que la noirceur du passé, si profonde fût-elle, ne l'engageait absolument pas au pessimisme. A ses yeux, l'humanité était une collection de mutants en route vers un but invisible et peut-être inexistant. Le problème venait de ce qu'ils n'y tendaient pas de façon synchrone. Tandis que l'un séjournait encore dans le Moyen Age du fondamentalisme, l'autre était devant son ordinateur ou prenait le chemin de la planète Mars. Cela, on pouvait encore l'admettre, mais le danger, un danger vraiment explosif, venait des formes intermédiaires : les instruments de l'un entre les mains de l'autre, du terroriste qui veut entraîner ses ennemis dans son suicide parce qu'il croit qu'il rejoindra ainsi quelque paradis.

Mais avait-il raison de dire qu'il ne s'était jamais vraiment senti à son aise dans le présent ? C'eût été du romantisme, et d'un genre un peu puéril. Il était plus juste de dire qu'il ne se sentait pas à son aise parmi des gens qui, eux, ne se trouvaient bien que dans le présent et en attendaient tout. Quand on n'était pas capable en même temps de s'en affranchir – et il y avait là sans doute un paradoxe –, le présent était insipide. Le passé avait été lessivé, le superflu éliminé, on ne pouvait en dire autant du présent. Pour la dernière fois (et ce, uniquement du fait de la présence de l'homme en vêtements traditionnels qui lisait en face de lui), il pensa à la photo de Heidegger dans son étonnant costume. Nietzsche avait dit que la philosophie avait souvent des causes physiques, et le voyageur se demandait si le corps du philosophe s'était senti épanoui dans ces habits qui, comme le système qu'il avait imaginé (pensé), désignaient avec insistance le passé. Mais c'était peut-être aller trop loin, encore qu'à présent, en commandant une bouteille d'*Oberberger Vulkanfelsen*, "côtes volcaniques d'Oberberg", il se retrouvât du côté du sang et du sol, car le vin était rouge sang, et ce nom vous donnait l'impression de boire la roche elle-même. Voir du sang dans le vin, il le devait sans doute à ses origines catholiques romaines. En outre, pourquoi avoir choisi justement ce vin-là ? La langue reflète la psyché : n'aurait-il pas pu prendre aussi un *Randersackerer Ewigleber* 1986, ou un *Rödelseer Schwanleite* ? Il devenait urgent de s'atteler à la déconstruction des noms de vins. Il regarda les bouquets de fougères, les bustes de bronze et les petites corbeilles de fleurs alpestres séchées suspendues au plafond. Bois de cerf, tilleuls nains, coquilles ornementales. Il était ailleurs. Autour de lui bourdonnait la variante bavaroise de l'allemand, et pour la première fois, il s'avisa que l'allemand était probablement la première langue étrangère qu'il eût entendue.

Seize ans plus tôt, dans une blanche maison de bois du Maine, un vieil homme aux cheveux pareillement blancs, qui ressemblait au père disparu de son ami et par conséquent au vieil inconnu qui tout à l'heure l'avait salué dans le parc, lui avait demandé de lui lire du Rilke. Cet homme avait, en anglais, le même accent que le père de son ami en néerlandais. Un accent allemand, plus qu'allemand, où tout un passé médio-européen était engrangé, un accent inextirpable, épais, attirant, et même son ami, installé pourtant depuis si longtemps aux Pays-Bas, en présentait encore les traces. Ce jour-là, dans le Maine, la demande l'avait pris de court – il était pétri d'admiration pour son hôte, qui avait obtenu le prix Nobel pour une découverte en biochimie. Apprenant que le voyageur venait des Pays-Bas, il l'avait aussitôt entrepris sur Multatuli, excluant par là les autres invités, américains. Il en rencontrait assez souvent, des octogénaires qui lui parlaient de Multatuli ou de Couperus* ; autrefois, les Pays-Bas existaient vraiment. Mais sur le chapitre de Rilke, son hôte s'était montré intraitable. Le voyageur

* Multatuli (pseudonyme d'E. Douwes Dekker, 1820-1887) et Louis Couperus (1868-1923), les deux plus grands prosateurs néerlandais du XIXe siècle. *(N.d.T.)*

avait eu beau protester de l'insuffisance de son allemand, le vieil homme n'avait rien voulu entendre. *Thanksgiving Day*, novembre, été indien, le jardin tout entier, qui descendait jusqu'à Penobscot Bay, n'était que feu et flammes. Il avait ouvert à l'endroit voulu le livre jauni, dépecé, marqué à chaque page de signes de nostalgie, et il avait commencé à lire. Les Américains observaient soudain un profond silence, il entendait le feu mener son tapage dans la cheminée, mais il ne lisait pas pour le reste de l'assistance, seulement pour cette tête blanche qui s'était inclinée et roulait Dieu sait quelles pensées, des pensées vieilles de cinquante ans, d'avant la persécution et la fuite, des pensées *anciennes*, et tout en lisant il eut l'impression qu'une bulle d'air ancien crevait, comme dans la nouvelle de Harry Mulisch*, et que sa propre voix se mêlait à cet air précieux, préservé jusque-là et jamais entamé.

Herr : es ist Zeit. Der Sommer war sehr gross.
Leg deinen Schatten auf die Sonnenuhren
und auf den Fluren lass die Winde los.

Befiehl den letzten Früchten voll zu sein ;
gieb ihnen noch zwei südlichere Tage,
dränge sie zur Vollendung hin und jage
die letzte Süsse in den schweren Wein.

Wer jetzt kein Haus hat, baut sich keines mehr.
Wer jetzt allein ist, wird es lange bleiben,
wird lachen, lesen, lange Briefe schreiben
und wird in den Alleen hin und her
*unruhig wandern, wenn die Blätter treiben***.

"Seigneur, voici le temps : l'été fut grand.
Pose ton ombre sur les cadrans
et sur les plaines lâche les vents.

* Harry Mulisch, *Oude Lucht* ("Air ancien"), 1977. *(N.d.T.)*
* Rainer Maria Rilke, "Herbsttag", *Das Buch der Bilder* I, 2, Paris, 21 septembre 1902. *(N.d.T)*

Ordonne aux derniers fruits l'ultime plénitude ;
accorde-leur encore deux journées plus radieuses ;
presse-les de mûrir, fais jaillir
la suprême douceur dans la lourdeur du vin.

Qui n'a pas de maison ne s'en bâtira plus.
Qui maintenant est seul le restera longtemps
à lire et à veiller, à longuement écrire
et à errer, inquiet,
de par les allées quand tombent les feuilles*."

Il avait lu d'autres poèmes en cette fin d'après-midi, mais aux derniers vers de celui-ci, il avait vu les lèvres de son hôte remuer au même rythme que les siennes, et il avait senti monter une émotion qui, comme s'il n'existait aucune solution de continuité entre cet "alors" et son présent, revenait l'envahir en cet instant précis. Le vieil homme était mort, tout comme le père de son ami et plusieurs autres de ces gens que la vie semblait envoyer constamment au-devant de sa route, par une forme singulière de prédestination, aurait-on dit. Ils avaient tous dépassé les quatre-vingts ans. Un violoncelliste, un restaurateur de tableaux, un banquier. Leur survie les entourait d'un halo tremblant, comme d'une seconde âme – ou plutôt, non pas leur survie en elle-même, car aujourd'hui ils avaient disparu tous les cinq, mais plutôt ce à quoi ils avaient survécu et dont aucun d'eux ne lui avait jamais parlé.

Etait-il à Munich, oui ou non ? Il n'était pas ici pour évoquer toutes sortes de souvenirs, mais pour regarder, et cependant, assis paisiblement à sa table devant son verre de vin volcanique, il avait l'impression de se trouver dans l'œil d'un cyclone de mémoire. Comme c'était étrange ! Le temps lui-même, cet élément dépourvu de

* Traduction française de Jacques Legrand, in Rilke, *Œuvres* II, éditions du Seuil, 1976, p. 141. *(N.d.T.)*

pesanteur, ne pouvait progresser que dans un sens, malgré toutes les définitions que l'on pouvait en proposer et diverses tentatives pour lui marcher sur la queue – c'était au moins une certitude. Nul ne savait ce qu'était le temps, mais on avait beau donner à toutes les horloges du monde une forme circulaire, le temps, lui, continuait à progresser en ligne droite et, s'il devait connaître une fin, celle-ci ne pouvait être pensée par les hommes sans les affecter d'un mortel vertige. Mais alors, qu'étaient les souvenirs ? Du temps demeuré en arrière et qui vous rattrapait, ou bien que l'on allait rechercher à contre-courant du temps – l'impossible, donc. Et il n'y avait pas que vos propres souvenirs, il y avait ceux des autres. Ainsi, le père de son ami, qui avait bien connu Toller, lui avait raconté un jour qu'il avait assisté à Munich à la révolution manquée de Toller. Cela s'était passé ici, où le voyageur était aujourd'hui, avec l'accompagnement obligé des révolutions, violence, cris et mort. Puis Toller avait pris le chemin de l'exil, d'abord à Londres, ensuite à New York. Un jour, à New York, son ami lui avait dit, en montrant le *Mayflower Hotel* : "C'est là que Toller s'est suicidé." Mais l'ironie suprême était que le père de son ami, longtemps après la mort de Toller, avait voulu assister, à Amsterdam, à une pièce de théâtre sur Toller. Le survivant allait donc voir un acteur interpréter le rôle de son camarade mort, mais, ce soir-là, le théâtre municipal d'Amsterdam était assiégé par l'Action Tomate* – cris, gaz lacrymogènes, représentation annulée et, les larmes aux yeux, le vieil homme avait quitté le théâtre, la vraie révolution se voyant chassée par sa parodie. Le voyageur revoyait le père de son ami. Resté bel homme

* Action Tomate : dans les années soixante, groupe de jeunes acteurs et d'intellectuels contestataires qui perturbait (en jetant des tomates, par exemple) les représentations théâtrales jugées "bourgeoises". *(N.d.T.)*

même à près de quatre-vingt-dix ans, il attirait les regards, légèrement voûté, yeux noirs, visage de vieil Indien, crinière blanche. Thomas Mann le citait régulièrement dans son journal : "Visite du docteur L***. Avons mangé de succulents épinards." "Oui, remarquait son fils, mais de quoi avez-vous parlé ? Il n'en dit rien." Quand les souvenirs déclarent forfait, l'époque où ils se situent semble n'avoir pas existé, ce qui est peut-être vrai, d'ailleurs. Le temps lui-même n'est rien, la seule réalité est celle de son vécu. Lorsque celui-ci disparaît, cette disparition prend la forme d'une négation, se fait symbole de la mortalité, de ce que l'on a perdu avant même d'avoir tout perdu. Un jour, son ami avait fait à son père une observation de ce genre, et celui-ci avait répondu : "Si l'on devait tout conserver, on éclaterait. On n'a tout simplement pas la place. L'oubli est un remède qu'il faut savoir prendre à temps."

A temps. Tandis qu'il se levait et traversait la grande salle du restaurant pour sortir dans la rue, il ne pouvait s'empêcher de rire de lui-même. Comment pouvait-on prétendre réfléchir à une notion qui s'était insinuée de mille façons dans la langue, et qui voilait par là toute image que l'on eût pu se former d'elle ? Toujours on confondait le temps avec les instruments de sa mesure. Toujours. Il était une langue scandinave où cet adverbe se traduisait par "tout le temps" – comme si l'on pouvait appliquer cette expression à une chose inachevée. Temps humain, temps scientifique, celui de Newton, à la progression uniforme et sans relation à aucun objet extérieur, celui d'Einstein qui se laissait ensorceler par l'espace. Et puis celui des particules infiniment petites, de la pulvérisation, de la réduction devenue incommensurable. Il regarda les autres, qui évoluaient autour de lui, corps solides, dans la Neuhausstrasse, porteurs chacun de leur horloge interne à laquelle la montre qu'ils avaient au poignet tentait vainement d'imposer son ordre misérable. Les montres étaient des hâbleuses, elles prétendaient parler au nom d'une autorité supérieure que (jusqu'à ce jour) personne n'avait jamais vue. Mais elles savaient à quelle heure s'ouvraient les portes des églises et un instant plus tard (plus tard, on n'échappait pas à ce tyran), il était dans la fraîcheur de cave de l'église Saint-Michel. Le premier mot qu'il y lut fut naturellement *Uhr*, "heure" : "Le 22. 11. 1944 peu après treize heures, l'église Saint-Michel fut touchée par plusieurs bombes à fragmentation larguées par une escadrille américaine", et là encore, le souvenir se manifesta – le lourd grondement des forteresses volantes et l'excitation gourmande des adultes : "Voilà les Américains, ils vont bombarder ces salauds de Boches." Ce grondement faisait partie des choses qui avaient trouvé pour toujours leur diapason, parce qu'il s'associait à la vengeance et à la mort, tout le ciel n'était plus qu'une éternelle basse jouée par un musicien assoiffé de dévastation. Mais pour l'instant, il ne voulait pas y penser. Les morts étaient morts, l'église reconstruite, et dans l'espace gris clair à la lumière tamisée, une femme marchait droit vers son but. Elle était superbement habillée. Tout ce qu'elle portait était noir, ses cheveux blond clair en torsade étaient retenus par un ruban de velours noir. Elle s'agenouilla quelque part, le visage enfoui dans les mains. Ses souliers vernis ne touchent pas le sol, ils restent en suspens un peu plus haut. A ce moment le soleil se cache, le stuc de la voûte en berceau se ternit, le voyageur voit trois Japonais qui fixent la femme avec insistance. Au fond de la nef, un ange de bronze s'appuie à un grand bénitier, avec désinvolture, comme quelqu'un qui passe devant un piano et s'arrête un instant pour esquisser une mélodie. Partout le voyageur apercevait des silhouettes en prière qui confirmaient les dimensions de l'édifice, nains suppliants vêtus de rouge, de vert forestier, un paysan en costume traditionnel qui, la main sur le cœur, parlait à une statue, mais le voyageur revint vers l'ange et se posta à côté de lui : deux fidèles côte à côte, un homme et un ange, l'un ailé, l'autre non. L'ange était plus grand et son bronze luisait, mais cela ne changeait rien. Il considéra les doigts écartés, puis les ailes. C'était son deuxième ange de la journée, mais celui-ci n'était pas une femme. Masculins dans le dictionnaire, les anges portaient des noms d'hommes, Lucifer, Gabriel, Michael, et pourtant ce n'étaient pas des hommes. Ils étaient des myriades, comme il l'avait appris, et il en existait de toutes sortes. Anges des ténèbres, de l'extermination, de la lumière. Anges gardiens, anges messagers. Ils avaient une hiérarchie, chérubins, séraphins, dominations, trônes. Légions célestes. Il ne pouvait se rappeler s'il avait jamais vraiment cru aux anges, il pensait que non. Mais l'idée était séduisante. Un être qui ressemblait à un homme sans être astreint à l'humanité, au vieillissement, et qui, de surcroît, avait le pouvoir de voler. Bien sûr, beaucoup d'autres choses leur étaient interdites, comme on pouvait s'y attendre au voisinage de Dieu. Ce qui lui plaisait, c'est qu'ils étaient toujours là, et pas seulement dans les églises. De bois, de pierre, de bronze, sur les monuments aux morts ou pour la paix, sur des édifices profanes, partout ils avaient su se maintenir. Même les Arabes en avaient. Les gens les voyaient-ils encore ? Ou bien étaient-ils, en dépit de leur taille et de leur visibilité surhumaines, devenus invisibles ? Il ne le pensait pas, il croyait que si les autres ne les regardaient pas intentionnellement, ils les percevaient au moins comme en rêve, si bien qu'à l'insu même du récepteur, la gent ailée se frayait un chemin vers le séjour secret des ancêtres anonymes. Mais, par ce détour, il se retrouvait au voisinage d'une des idées du temps, et il en avait vraiment assez, il s'était promis ce jour-là de visiter une église de plus, qui, à ses yeux, s'accordait mieux à cette ville que la reconstruction d'une Athènes blessée, produit d'une nostalgie factice – et il allait à présent s'y rendre. L'église devait se trouver dans la Sendlingerstrasse, mais voilà que soudain resurgissait le guide, qui voulait l'envoyer d'un autre côté.

"Où donc ?" Il avait posé la question avec humeur, car il avait déjà oublié son guide. Il s'était sûrement caché sous la table pendant que le voyageur déjeunait. Ce genre d'individu était-il aussi capable d'entendre vos pensées ?

"Au marché aux victuailles", dit le guide.

Les marchés, comme les cimetières, étaient son point faible, et il suivit sans rechigner. La nourriture était peut-être ce qu'il y avait de plus éloigné du mal. Radis, carottes, fromages, pains, champignons, potirons, œufs évoquaient en pleine ville l'idée de la nature et par conséquent de la patience, rappelaient à la ville ses origines de bourg au centre d'une contrée agricole, et une demi-heure durant, le voyageur erra parmi les marchandises entassées, les herbes fraîches, les saucisses dont l'extravagante diversité défiait l'imagination, le lard en tranches, les poissons des rivières et des lacs, tout ce qui, il y a mille ans, se présentait exactement sous la même forme, l'empire millénaire des navets, des carpes et des oignons, qui ne cessaient de s'offrir sans récriminations pour se laisser broyer entre les meules des dents humaines.

L'église se trouvait dans une rue animée mais, lorsqu'il y fut entré, le bruit se retira loin de lui. Saint Jean Népomucène, lui avait chuchoté le guide. Un saint de Bohême. Le voyageur aimait ce mot, la Bohême. Non seulement pour la beauté de sa sonorité, mais aussi pour les malentendus qu'il traînait avec lui. En France, on avait pris les premiers gitans pour des sectateurs de l'hérésiarque Jan Hus de Bohême, et voilà pourquoi certains peintres et poètes étaient encore traités de "bohémiens". Confusion de préjugés fondée sur un quiproquo, on ne pouvait rêver mieux, et l'assimilation des poètes à des vagabonds, des Tsiganes et des païens ne gâtait rien.

"Népomucène", répéta le guide. En son temps le saint le plus vénéré de Bohême après Marie. Mort en martyr – noyé dans la Moldau – il y avait six cents ans. Comme le voyageur s'estimait, lui aussi, un peu originaire de Bohême, il décida de faire de ce Népomucène inconnu son saint patron. Le guide voulait à présent lui expliquer mille détails de la vie du saint, telle qu'elle était représentée, sculptée dans le bois sur les battants du portail, mais le voyageur se sentit enlevé dans les airs, dans l'espace merveilleux de l'église. Le moment d'écouter et de lire viendrait plus tard, pour l'instant il voulait se laisser entraîner dans la valse tourbillonnante de ce qu'autrefois il eût appelé avec mépris des "fanfreluches". Le baroque, au même titre que l'opéra, était une découverte tardive dans sa vie, autrefois il ne comprenait absolument pas ce que d'autres pouvaient y voir, et aujourd'hui encore il avait du mal à le formuler pour son propre usage. Il n'avait pas à en rougir, il était permis de se tromper. Mais ici ? C'était peut-être la profusion et en même temps, par contraste, la sévérité du cadre où elle s'épanouissait. Luxuriance. Plénitude. Et ce qui était peut-être le plus difficile à admettre pour un amoureux des églises romanes : de l'*ambiance*. Même seul, on avait l'impression d'une activité fourmillante autour de soi, remue-ménage des anges, flottement des vêtements, une brise qui retroussait la pierre, le marbre, le stuc doré, agitation, barouf, une grotte à concrétions où la foi, la piété étaient restées accrochées à chaque stalactite. Guirlandes, colonnes torsadées, antres voluptueux, lignes galbées, peut-être l'âme bavaroise se dévoilait-elle ici à lui pour la première fois. L'Athènes de la place Royale était un corps étranger, imposé, inventé par d'autres, ici l'on aurait pu, le cas échéant, entonner une tyrolienne, à l'imitation du bâtiment lui-même : trilles, cris d'allégresse, aigus époustouflants. Les retables entourant l'autel commémoraient aussi le saint bohémien, en une vie de gesticulations dont les narrateurs évitaient d'aller droit au but. Indentations, vernis, ornementations, draperies, interruptions, rien ne bouge et tout tournoie. L'animation est digne d'un grand carrefour céleste. Dieu, coiffé d'une tiare, se penche sur la croix, flanqué de deux anges aux ailes verticales, oreilles d'âne pointues. L'église est déserte, aussi le voyageur se permet-il de s'éloigner de l'autel à reculons, la tête levée. Il s'aperçoit qu'en essayant de regarder ainsi à la verticale, au-delà des pilastres, des chapiteaux dorés, des guirlandes de fleurs et des colonnettes ventrues de la balustrade, et en déplaçant la tête selon un mouvement latéral régulier, on fait surgir un nombre croissant de petites têtes de saints Innocents. Cette église est tout simplement leur maison, quand le voyageur se déplace ils se déplacent avec lui, ils l'observent avec, sur leur visage de plâtre, un air de ravissement abusif et bien trop précoce. On dirait, songe-t-il, que le mur au-dessus de lui s'est mis à écumer et que cette écume a pris des formes humaines. Par une association incongrue, un vers de Goethe lui revient en mémoire, qu'il ne connaît que par un lied de Schubert : *Was bedeutet die Bewegung ?* "Que signifie le mouvement ?" Et voilà peut-être la réponse : ici le mouvement ne signifie peut-être que lui-même, on atteint ici le point ultime où le mouvement pouvait être traduit en un matériau immobile, mouvement et repos, coagulation d'une suprême exubérance.

Connaît-il désormais mieux la ville ? Il n'en sait rien, mais estime le moment venu de partir. Pour quelle destination ? Vers le sud, là où ont disparu les oiseaux migrateurs qui lui ont fait signe ce matin. Vers une quelconque Bohême, vers les montagnes, vers la ligne de partage des eaux de l'Europe, d'où les langues, les Etats, les fleuves s'élancent de tous côtés, et où son continent lui est le plus cher, avec son chaos de royaumes perdus, de territoires reconquis, de langues affrontées, de systèmes étrangers l'un à l'autre, la contradiction de monts et de vaux, le vieil empire du Milieu dans son éparpillement. Il foule encore les prairies herbues du Jardin anglais, voit les arbres dans le dernier embrasement de l'automne, nourrit les cygnes, s'étend sur le gazon et suit des yeux les nuages qui se hâtent vers les Alpes. Non, cette ville, il ne la connaît pas encore, mais d'autres villes désormais l'appellent, et à cet appel inaudible à tout autre, la secrète psalmodie de Bohémiens, il ne saurait résister.

9

Et une fois de plus, je ne fis pas ce que je m'étais promis, car c'est vers le nord que je me dirigeai, ma "troisième personne" pouvait rejoindre toutes les Bohêmes du monde, je savais où la retrouver, même dans le passé.

Mon présent, c'était le mois de janvier, en l'an 1990, et je devais aller à Regensburg – Ratisbonne – puis à Nuremberg. Les sujets de réflexion ne manquaient pas. Ils ne manquent pas. Ce sont des jours exaltants.

On l'entend dire régulièrement : "Nous vivons des moments historiques." Je me suis surpris moi-même, non seulement à émettre cette opinion, mais en outre à le faire avec cet air de légère autosatisfaction qui semble devoir aller de pair, comme si nous étions tous devenus soudain un peu plus importants de ne plus pouvoir suivre les événements. Chacun sait que cette unité viendra, et pourtant chacun s'étonne chaque jour de la rapidité avec laquelle elle semble se produire, comme si les événements disposaient de leur dynamique propre, échappant à tout contrôle. Ce qui était inconcevable hier est proposé aujourd'hui, sera amendé demain et tout ce que je peux noter ici sera devenu de l'histoire ancienne au moment où ces lignes paraîtront, fragment interpolé dans le mouvement perpétuel de ce kaléidoscope.

Les plus silencieux sont encore les grands décideurs et les hommes d'affaires qui, à l'écart des palabres politiques, délimitent leurs concessions en RDA tout en surveillant de près le son de cloche des manchettes. Si l'on dispose les titres des journaux comme une main de bridge, on reste abasourdi devant la série obtenue. Rien que des atouts ! Celui que, tel jour, la *Süddeutsche Zeitung* appelle encore Modrow-sans-Terre, embrasse le lendemain – prenant de court son propre parti – l'unité allemande, assortie toutefois de la neutralité, et prétend dès le surlendemain que cette neutralité était, dans son esprit, sujette à négociation. "Modrow capitule", écrit alors la *Tageszeitung**, pour embrayer le jour suivant avec : "L'OTAN cherche un espace vital à l'Est."

Pendant ce temps, les hommes politiques allemands essaiment dans les futurs *Länder* fédéraux afin d'y assurer la position de leurs partis. Je ne sais si cela vient de ces turbulences et d'une conscience historique manifestement encore présente partout, mais de la sorte, il semble qu'il n'y ait plus d'"aujourd'hui" : les instants fugitifs où s'inscrivent tous ces tournants, ces pourparlers, ces décisions, ces oppositions, paraissent appartenir déjà aux livres d'histoire ou être engloutis par un avenir vorace, que ne peuvent rassasier que des changements toujours plus nombreux. Thatcher et Mitterrand habitent désormais l'Océanie, les voisins de l'Est eux-mêmes ont disparu derrière des bancs de brume, seul Gorbatchev est encore suivi dans son aventure solitaire parce que chacun, ici, rompu aux vieilles lois du *Gleichgewicht* – de l'équilibre – sait bougrement bien que, là où Gorby a encore son mot à dire, réside l'*autre* centre de gravité de l'Europe.

Sur le chemin du retour de Munich à Berlin, je m'arrête à Ratisbonne. Tandis que l'histoire nouvelle mijote à la cocotte, à moins qu'elle ne

* Quotidien berlinois de la gauche "alternative", paraissant le matin. *(N.d.T.)*

commence à attacher, je cherche dans ce pays que je connais encore mal les reliques de l'histoire ancienne. Ces contrées dont l'ensemble s'appelle l'Allemagne et qui s'apprêtent à le reconstituer, sous réserve peut-être d'une légère rectification, se sont immiscées dans ma vie il y a cinquante ans et dans ce pèlerinage historique, les bâtiments et les villes que je veux visiter sont les illustrations pétrifiées du récit que je suis en train de lire. Par "légère rectification", je veux dire : les frontières, objet de tant de paroles et de tant de silences.

Sur une carte, à la "une" de la *Tageszeitung*, où l'Allemagne est représentée en entier, Berlin l'excentrique se trouve soudain très proche de la frontière orientale. "Il faudrait ajouter un petit bout de terrain par-derrière", me dit railleusement celui qui me montre le journal. "Une capitale doit avoir une position un peu plus centrale, non ?" Quel genre de position centrale, on le comprend en voyant d'autres cartes où les territoires revendiqués par une minorité nostalgique sont indiqués en pointillés. Ces jours-ci, dans certains cercles allemands plutôt éclairés, l'étranger se voit proposer un rôle assez singulier : on veut savoir ce qu'il en pense, *lui*, on veut comparer l'agitation, les répugnances, les angoisses que l'on éprouve à celles de "l'autre", dont on suppose que, pour des raisons historiques plus ou moins bien définies, il aura un préjugé contre les "évolutions dangereuses".

On dirait qu'ils ont peur d'eux-mêmes et qu'ils veulent voir cette peur à la fois confirmée et contredite par une tierce personne. Mais il est difficile de se forcer à trouver plus dangereux qu'au naturel les repousseurs de frontières et les "républicains", en dépit du réflexe historique et de la nausée qu'ils suscitent. A cet égard, j'ai trouvé bien belle une phrase du *Frankfurter Allgemeine* (qui d'ailleurs traitait d'autre chose) : "L'histoire redoute de se répéter." Mais la plupart du temps, mes interlocuteurs ne sont pas de cet avis. Ce doit être étrange d'avoir peur de ses compatriotes, mais ce n'est pas rare ici.

S'y ajoute parfois une subite vénération de la RDA, comme si ce pays avait vu, “malgré tout”, la réalisation d'une sorte d'utopie – où “il y avait certes des problèmes”, mais où la vie “en un sens” était plus simple, plus humaine, n'était pas pourrie par la cupidité, le matérialisme, le tape-à-l'œil de la République fédérale. Dans cette optique, ceux qui veulent livrer la RDA à une Allemagne unifiée sont évidemment des traîtres. Seulement, la plupart des gens qui tiennent ce raisonnement ont toujours vécu en République fédérale et, dans l'hypocrisie de leur argumentation, ne saisissent pas que ce sont les autres qui, au cours des dernières décennies, ont dû payer le prix de leur utopie bafouée.

La pluie ratisse Ratisbonne. (Oui, je sais, les jeux de mots sont toujours fastidieux, surtout quand la nature s'en mêle.) L'endroit est plaisamment et obstinément ancien. Je regarde les gargouilles de la cathédrale, monstres allongés laissant couler l'eau de pluie comme une bave de leurs gueules, je vois les pierres de la tour de la citadelle romaine et, sur un flanc caché de la cathédrale, tels des viscères béants, les vestiges bruts d'une église primitive perdue dans la nuit des temps, gigantesques roches inégales hissées jusque-là par le diable. Même les assiettes portent des mets oubliés du reste de l'Europe : silure du Danube, cœurs rôtis, mou à l'étuvée. La nourriture peut obéir aussi à un principe écologique : je ne comprendrai jamais pourquoi le même conservateur-progressiste, qui donnerait sa vie pour la préservation de l'aigle saxon à douze serres, a laissé entre-temps on ne sait quel McDonald's venir lui manger le mou dans son assiette.

Dans une librairie je vois quelque chose qui ressemble au temple de Ségeste, cet édifice colossal planté sur une côte déserte de Sicile. Le voilà ici serti de verdure nordique, dominant de haut le Danube, et il s'appelle Walhalla. Je refuse un moment d'en croire mes yeux, puis je veux m'y rendre sans attendre, et Fred Strohmeier, le propriétaire de la librairie Atlantis, accepte de m'y conduire en voiture.

Walhalla, Atlantis : la pluie cesse aussitôt. Il faut faire à pied la dernière partie du chemin, grimper, le spirituel ne se rend pas si facilement. Dans le lointain, la plaine qui s'étale maintenant à nos pieds fait flamboyer les tours de Ratisbonne, le fleuve s'y étire comme une large bande d'acier, entre les arbres dénudés étincelle le marbre d'un rêve royal, un de plus. Le roi et son architecte – une pensée de ce genre devait habiter Hitler lorsque, la nuit, il se penchait avec Speer sur la table à dessin –, c'est le second édifice de ce couple que je visite cette semaine.

C'était en 1807 et le roi n'était pas encore roi*. Son père s'était rangé aux côtés de l'empereur des Français dans le cadre de la Confédération du Rhin et l'empereur avait conquis la Prusse et balayait l'Europe comme un coup de fouet, quatre rois et trente princes durent lui faire acte d'allégeance à Erfurt – ce même Erfurt de RDA où Willy Brandt rencontra Willi Stoph en 1970, posant ainsi la première pierre publique de sa politique de rapprochement, de cette *Ostpolitik* dont les conséquences dépassent aujourd'hui de si loin tout ce que l'on pouvait alors imaginer, ce même Erfurt encore où le vieux visionnaire a pu revenir cette semaine s'adresser à son ancien-nouveau-ancien parti.

L'unité allemande : elle hantait aussi les rêves du prince bavarois. Ce temple allemand se devait d'être grand "non seulement d'un espace formidable – la grandeur doit résider dans l'architecture,

* Louis Ier, qui ne monta sur le trône qu'en 1825. Son architecte était Leo von Klenze. *(N.d.T.)*

grande sobriété doublée de magnificence*...” Et qui donc, faute de dieux, devait habiter le Walhalla ? “Peut devenir compagnon du Walhalla celui qui est de langue allemande... des Allemands glorieusement excellents**...” Aussi, en pénétrant dans le frisson sacré de ce sanctuaire, rencontré-je une noble assemblée de visages pétrifiés, un Kant émacié, un Goethe juvénile et quelque peu bouffi qui ressemble à un producteur de cinéma avec son double menton et ses cheveux de Gorgone, les bustes blancs alignés rang par rang dans le haut espace clair de Klenze fixent de leurs yeux aveugles la postérité qui traîne les pieds autour d'eux.

Le royal fondateur avait déjà, en pensée, annexé les Pays-Bas, car en compagnie de Bach et de Leibniz, de Mozart et de Paracelse, de capitaines mémorables et de princes-électeurs oubliés, je trouve Boerhaave, Guillaume d'Orange, Hugo De Groot, Maarten Harmenszoon Tromp. Tout en haut errent des héros et des saints sans visage, leur souvenir n'est plus qu'une suite de lettres : Eginhard, Horsa, Marbod, Hengist, Teutelinde et Ulfila, je ne les connais pas mais j'imagine, pour accompagner leurs noms, une superbe musique *made in* Bayreuth. Le roi lui-même est là, avec toute la nonchalance que permet la souplesse du marbre : couronné de laurier, pieds nus dans des sandales, la toge rejetée avec désinvolture, un sénateur romain flanqué de lions ailés. Lola Montès et la révolution de 1848 l'obligèrent à abdiquer, mais il avait bâti son Walhalla. A l'extérieur, trois cent cinquante-huit marches de marbre descendent vers la plaine, mais on voit bien pourquoi Hitler n'aimait pas le Walhalla : il

* En allemand dans le texte : *“Nicht nur kolossal im Raum – Grösse muss in der Bauart sein, hohe Einfachheit, verbunden mit Pracht...” (N.d.T.)*

** Idem : *“Walhallas Genosse werden kann, wer teutscher Zunge sey... rümlich ausgezeichneten Teutschen...” (N.d.T)* n'y avait pas de place pour les foules, ni pour une entrée en scène dramatique. Cet ossuaire de marbre était bon pour les gens qui avaient déjà tout fait, non pour ceux qui avaient encore tout à faire, car on n'avait pas la place de se retourner.

Quant à lui, il s'y prit autrement. J'ai vu autrefois les films des congrès annuels nazis à Nuremberg, rituels ataviques en noir et blanc, déjà roussis par le temps, je n'ai plus à les décrire, ils sont entrés pour toujours dans le domaine de l'éternelle stupeur. Et bien sûr, me trouvant dans cette partie du monde, je me devais d'y aller, et bien sûr, à présent que j'y suis, j'ai les plus grandes difficultés à me figurer quoi que ce soit. Je me demande seulement : "Où sont passés les autres ?" Les tribunes sont vides et le tribun s'est volatilisé, évaporé, il ne reste que son image et, lorsqu'on l'évoque, le souvenir de sa voix. Cette voix qui hurlait des choses, qui portait un nom, et toutes ces voix anonymes qui répondaient par un cri, chœur antique au texte insuffisant.

Je suis déjà vieux, je l'entends encore, cette voix, elle sortait de postes de TSF en bakélite, les adultes tournaient le bouton mais elle continuait ailleurs, des appels qui mouraient puis s'enflaient de nouveau, une rhétorique orgiaque. On ne comprenait pas, on était un enfant, mais elle était associée au malheur, et à une certaine excitation.

Il n'en reste rien, en ce jour de pluie. Je suis seul, les autres sont morts, ou vieux. Deux cent cinquante mille personnes pouvaient tenir ici, une cathédrale de lumière s'édifiait autour d'eux, ils étaient ensemble et s'en trouvaient plus heureux. Drapeaux, cohortes en rangs de douze, enseignes, un culte pour conjurer la fatalité, je n'ai plus qu'à regarnir cette esplanade vide, à repeupler des spectres du passé les tribunes fissurées, défoncées, sordides, et à attendre avec tous les autres l'arrivée d'un seul, l'instant de mise en scène absolue, l'éjaculation, l'orgasme d'un colosse aux dimensions du monde.

Il n'en subsiste rien, si ce n'est le lieu même, dont la fonction n'est plus que de souligner l'absence, c'est un bien pauvre *genus loci* qui rôde par ici. J'escalade une clôture brisée et je monte les gradins où ils se tenaient assis, ou debout. Des boîtes de bière, des *Bildzeitung* détrempées, caillots de morve et de sang, encres de couleur dégoulinantes. Le Walter Mitty qui sommeille en moi grimpe irrésistiblement vers la tribune, vers la porte de bronze délabrée où quelqu'un a grossièrement gravé "Néron", puis redescend les quelques marches qui mènent aux petits rostres où il se tenait.

Mon peuple se compose de l'élue de mon cœur, et de deux chauffeurs routiers qui s'affairent à détacher une remorque. Ils vont et viennent sur l'asphalte mouillé et en oublient de faire attention à moi. A part eux, rien : nuages gris sale, arbres dénudés, secrets bancaires de l'âme, fictions.

Je retourne au centre de la ville, vers le vrai Moyen Age, je me guéris de l'histoire par une histoire plus ancienne, les églises amarrées au milieu de la cité donnent l'impression d'avoir sillonné jadis une mer aujourd'hui disparue, elles se sont échouées dans un monde qui ne sait plus lire leurs images. Qui sait encore qui sont les femmes sculptées sur les voussures du portail de l'église Notre-Dame, la *Frauenkirche* ? La piété intériorisée de leurs visages les exclut du monde environnant, voilà des siècles qu'elles n'entendent plus les cris des marchands forains, leurs visages sont pareils aux nôtres mais elles en font autre chose, lointaines et plongées en elles-mêmes comme des bouddhas féminins, elles ont laissé glisser sur elles le tumulte du temps.

Frauenkirche, *Sebalduskirche*, *Lorentzkirche* – toujours, ces espaces gothiques dressés dans les airs élèvent mes pensées jusqu'aux croisées d'ogives, aux pendentifs, aux solives, aux clés de voûte, vers toutes ces régions supérieures que mon corps ne peut atteindre, condamné qu'il est par Newton à demeurer en bas. Et contre les piliers, ce peuple pétrifié de statues qui vit sans s'occuper de nous, sans nous entendre et sans nous voir, évangélistes de vitrail sous leur forme animale, évêques au repos sur leur pierre tombale, le musée Grévin du martyre et du baiser de Judas, des animaux fabuleux et des têtes couronnées, des bourreaux et des hommes ailés, une langue qui soliloque parce que plus personne, ou presque, ne l'écoute.

Je me demande dans quelle glyptothèque païenne ces statues échoueront tôt ou tard, et la réponse me vient l'après-midi même des statues de saints et des pierres tombales du *Germanisches Museum.* Elles sont là, impuissantes, volées à leur contexte, privées de leur validité, simples objets d'art. Et puis je me retrouve là où j'avais commencé la journée, car le musée abrite une exposition temporaire sur la *entartete Musik*, la "musique dégénérée" selon les nazis. Ma tête refuse de prendre deux fois le même virage en une journée, mais le sérieux des écoliers et des étudiants qui m'entourent m'incite à rester, et je les regarde regarder le mal dans le monde, la face lugubre de l'erreur.

Impossible de partager ces choses-là : chacun observe, lit, assimile pour son propre compte et l'opération se déroule dans le plus grand silence – et comme moi ils lisent la vile lettre de Wagner à Meyerbeer où il s'offre à lui comme esclave, et plus tard, quand il n'a plus besoin de lui, les propos antisémites tout aussi vils dont il gratifie le même Meyerbeer ou Mendelssohn dans *le Judaïsme et la musique*, et dont la puanteur restera à jamais attachée à son nom.

Non, ce n'est pas gai. Les photos de Schönberg et d'Adorno, de Weill et d'Eisler, les atroces caricatures, les interdits paranoïdes, toute la fange, l'univers compulsionnel de cette pensée fermée, qui croyait devoir anéantir pour survivre elle-même. Or il n'en reste rien, hormis le chagrin, la mort, le vide, la division et, bien entendu, ce genre de vitrines que l'on ne cesse de rencontrer, devant lesquelles on s'arrête pour comprendre ce que l'on ne comprendra jamais.

Pourquoi le mal est-il tellement plus difficile à comprendre que le bien ? Pourquoi le Strauss des *Quatre derniers lieder* peut-il se tenir aux côtés d'Hitler, pourquoi les notes de Wagner ne sont-elles pas devenues vénéneuses et fausses dès l'instant qu'il a écrit ces haineuses âneries ? Je l'ignore, et la jeune fille qui se penche près de moi sur la vitrine ne le sait pas non plus, je le vois à son dos.

J'en ai perdu l'envie d'admirer les services rococo, les robes à paniers, les armures et les maisons de poupée, je prends la route de Bamberg et j'y passe la nuit dans un hôtel au bord de la rivière au cours rapide, j'écoute sonner toutes les cloches de la nuit, je marche sous la pluie et le silence, vois à la télévision les Kohl et les Modrow et comprends qu'il me faut revenir aux exigences du présent ; le lendemain matin je salue le Cavalier de Bamberg, un jeune homme sérieux qui scrute le XXe siècle d'un air angoissé, et je prends le départ pour la RDA.

On peut passer directement de Bamberg à Weimar, Cobourg est la dernière grande ville avant la frontière. J'ai pris la précaution de demander si j'ai le droit de la franchir à cet endroit ; l'ADAC, l'Automobile Club d'Allemagne, m'a assuré que oui, mais une fois sur place je constate que les gardes-frontière sont troublés par la combinaison d'un passeport néerlandais avec la qualité de résident de Berlin. Ils tournent et retournent le papier entre leurs mains, leur regard passe de ma personne à ma photo anthropométrique, ils ne me posent aucune question, mais discutent longuement entre eux. Un instant, il semble que les temps anciens sont revenus, mais on finit par me laisser passer. Ensuite, tout devient différent, et tout est vrai.

Pour la première fois, je ne roule plus sur l'autoroute mais dans le pays même et l'on dirait qu'un voile de tristesse s'est abattu sur la voiture, ou que l'on a posé un autre pare-brise, qui rend le monde plus blême et plus délabré. Est-ce vrai aussi des arbres, grand voyageur ? Non, ce n'est pas vrai des arbres et pourtant, cher ami, il existe des liens entre les routes et les arbres, les maisons et les arbres, qui font que ceux-ci abandonnent un peu de leur impérissable essence pour adopter la couleur de leur entourage. Même en pleine forêt ? Non, pas dans la forêt. Neige, neige fondue, vastes horizons, beauté, maisons de schiste, maigre circulation, Eisfeld, Saalfeld, Rudolstadt, Kahle, industries, fumées abjectes, peintures écaillées, corneilles dans les champs, un monde décoloré.

C'est l'hiver, me dis-je, mets une touche de soleil sur le paysage et tout changera. Et dans quelques mois les arbres auront retrouvé leur verdure. Mais ici vivent des gens qui n'ont même plus la patience d'attendre ces quelques mois.

24 février 1990

10

9 mars. Me voici arrivé là où tous les lieux ont deux noms. “Oder”, dis-je à l’eau étonnamment bleue qui coule devant moi. “Odra”, dit le soldat en faction à l’autre bout du pont. Neisse Nysa, Lérida Lleida, Mons Bergen – contradiction de l’existence de deux mots pour un seul endroit, chuchotement de deux langues qui se recouvrent et qui ne veulent pas dire la même chose : revendications et histoires sanglantes y sont tapies, nostalgies et souvenirs. Double nom, double sens, il y perce toujours du désir ou du dégoût. J’ai quitté la ville en traversant les sombres dortoirs de Berlin-Est, une brume légère voilant le pire. Pris l’autoroute de Szczecin, sorti à Finow pour plonger dans la campagne, routes pavées, nature, Kerkow, Felchow, Schwedt, la frontière, le pont métallique. Je descends par un raidillon jusqu’à la rivière et contemple le village qui s’étend sur l’autre rive : Hohenkränig, Krajnik Górny. Je suis un passe-rivière, mais cette fois, impossible de gagner l’autre côté, je n’ai pas le droit de m’avancer plus à l’est. Dans le village polonais rien ne semble bouger, mais sur notre rive un homme épanche à grands cris sa colère sur deux autres, qui ont l’air un peu gênés de le voir se donner ainsi en spectacle. En littérature, il y a deux sortes d’écrivains, les voyeurs et les auditeurs. Armando*,

* Armando : peintre et écrivain néerlandais résidant à Berlin. *(N.d.T.)*

qui m'accompagne dans ce bref voyage, est un auditeur, avec ce que ce mot implique d'un peu sévère et de juridique : je le vois dresser un protocole mental de cette conversation, de la fureur de quarante années perdues, des injures, du bras tendu vers l'autre rive. Odra-Nysa. "Une cuillerée de goudron peut gâter un tonneau de miel", a déclaré Jaruzelski cette semaine. De profil, le pont est une haute grille de fer, autrefois la rivière devait être traversée de bacs, pour faire passer toutes ces armées, la française, la russe, l'allemande. Fleuves frontière, ponts, il est des lieux où le destin des peuples apparaît à l'œil nu.

Le temps change brutalement, à la désolation terrestre se joint l'obscurité plombée du ciel. A Stralsund, la pluie lacère les visages de papier de Modrow, de Gysi, de Kohl, les promesses de l'unité nouvelle. La ville semble déserte, mais les hôtels sont pleins, nous ne pouvons même pas dîner. A travers la tempête, nous distinguons des églises, de vieilles demeures de marchands, une sorte de Lubeck sous-développé, une ville entrée en glaciation au lendemain de la guerre. Puissance de la foi : comment a-t-on pu vivre dans le décor d'une faillite aussi patente ? Au *Baltic Hotel*, une aimable réceptionniste téléphone pour nous à une station balnéaire de la Baltique, sur l'île de Rügen. Il y a place pour nous, mais c'est à une petite heure de route, la chambre coûte près de trois cents florins et doit être payée en marks ouest-allemands. Lorsque je lui fais remarquer que c'est un peu cher, elle dit : "Vous verrez, c'était le rendez-vous des huiles, Honecker, Mielke, ils avaient l'endroit pour eux tout seuls, ou presque*." C'est vrai. L'hôtel est ceint d'une couronne de Mercedes et de BMW, sur toutes les

* En allemand dans le texte : *"Na ja, Sie werden schon sehen, da waren immer die grosse Leute, Honecker, Mielke, die haben das fast für sich selb st gehabt." (N.d.T.)*

portes des pancartes menaçantes proclament "réservé aux clients de l'hôtel", si bien qu'un simple mortel ne peut même pas y prendre un verre, la salle à manger pourrait servir de piste de danse à un congrès, mais les prix y sont libellés en marks de l'Est, ce qui permet aux Mercedes de dîner pour rien. La tempête s'est muée en ouragan, nous supposons, dehors, la présence invisible de la mer. A la télévision, Kohl m'apparaît sous les traits d'un énorme marsupial prêt à escamoter la RDA tout entière dans sa poche. Elle risque seulement d'être plus lourde à porter qu'il ne croit.

A mon réveil, j'entends à la radio une voix de femme demander, avec un accent de désespoir : "Mais que va devenir l'avortement, si l'union avec la République fédérale a lieu par le biais de l'article 23* ?" "Dans ce cas, l'avortement que nous connaissons ici sera interdit selon la constitution ouest-allemande", dit son interlocuteur, et d'énumérer tout ce qui sera jeté avec l'eau du bain, les crèches enfantines, la sécurité, les droits de la femme : c'est la société capitaliste avec ses dures réalités qui nous arrive, chère petite madame, il va falloir en tenir compte. L'homme a une voix de donneur de leçons, qui irrite sa partenaire. "Oui, mais...", dit-elle, et ces deux simples mots résument le dilemme, et la hâte grandissante avec laquelle on en régale les populations. Ces dernières semaines, la métaphore du train lancé à grande vitesse et impossible à arrêter a beaucoup servi, mais en réalité, il y en a deux : il y a aussi le train de l'Est qui s'avance vers l'Ouest à une lenteur d'omnibus. Le grand amour du 9 novembre s'est déjà évanoui, les gens de

* L'article 23 de la Loi fondamentale de la République fédérale permet le rattachement immédiat à la RFA de toute région allemande qui en aura fait la demande. Dans ce cas, le droit de la RFA s'impose à la région considérée. *(N.d.T.)*

l'Est soupçonnent ceux de l'Ouest de vouloir acheter leur pays à vil prix, ceux de l'Ouest prétendent que l'Est est un trou sans fond où s'engloutiront leurs devises fortes, les marks chèrement acquis à la sueur de leur front. Ce qui se passe en réalité est évidemment phénoménal : l'Allemagne wilhelminienne se précipite dans la Première Guerre mondiale, subit une défaite sanglante, se voit imposer des sanctions impitoyables et à courte vue, la classe ouvrière saisit une chance éphémère, puis c'est le Weimar des bonnes intentions, du chaos et de l'inflation, ce sont les calculs politiciens et le rejet hautain de la vie politique traditionnelle par nombre d'intellectuels, la montée du fascisme, Hitler, une nouvelle guerre. Et durant tout ce temps – même s'il n'avait commencé qu'avec Bismarck – ils ne formaient qu'un seul peuple, la séparation n'est venue qu'*après*, et c'est après aussi que l'un s'est enrichi et l'autre appauvri, que l'un a été secouru et l'autre exploité, que l'un a dû porter le fardeau moral du passé, l'autre le fardeau matériel, avec toutes les rancunes réciproques que l'on imagine. Sur quelle musique vont danser ensemble ces deux peuples qui n'en font qu'un, mais qui restent distincts ? Sous la valse impétueuse et éclatante de la nouvelle unité s'élève la musique têtue, beaucoup plus lente, de quarante ans d'une identité différente qui ne s'oubliera ni pour de l'argent ni par décret, et retentissent des pas de danse contraires qui rompent la belle harmonie de ceux du maître de ballet. L'Histoire est une substance qui se produit elle-même, il suffit de se détourner du staccato des gros titres et de tendre l'oreille pour percevoir le grincement infiniment lent des grands rouages entre lesquels rien ne se perd jamais.

Sellin, Binz, stations de la Baltique. Je vois Armando contempler avec gourmandise l'agonie des grandes villas, le casino avec ses airs de

Statue de Bismarck à Kiel.

vieille dame trop pauvre pour s'acheter des fards. "Chers retraités, n'écoutez pas les oiseaux de mauvais augure ! Oui à la liberté et au bien-être* !" s'exclame la CDU en lettres noir-rouge-jaune. "Entrons dans l'avenir avec optimisme, 44 % dimanche prochain pour le SPD**", réplique le SPD. Quant à nous, étrangers au débat, nous bravons la tempête et partons à la recherche d'un lieu mythique de la peinture allemande, le *Königsstuhl* – le "trône royal" – près de la *Stubenkammer*, où Caspar David Friedrich a peint ses *Falaises de craie à Rügen* en 1818. Trois personnages, deux hommes et une femme, qui debout, qui allongé, qui à genoux, tournent le dos au monde et, encadrés à droite et à gauche par la chute vertigineuse des murs de craie, contemplent l'étendue infinie de la mer. Goethe infligea à ce tableau un traitement diabolique : il le tint sens dessus dessous, faisant apparaître une sinistre grotte glaciaire où les trois figures restent collées telles des chauves-souris à la voûte dentelée, de quoi vous donner le vertige, et je repousse cette vision, car avec la photographe qui nous accompagne, nous nous confondons avec ces trois personnages et pouvons prendre exactement la même position.

Ce fou trop curieux qui se penche au-dessus de l'abîme, c'est moi, naturellement, derrière moi des voix s'élèvent en allemand pour me rappeler : cela ne se fait pas, c'est interdit. Comment leur expliquer que la balustrade d'aujourd'hui n'était pas là à l'époque ? Ne voient-ils donc pas mon haut-de-forme couché dans l'herbe à côté de moi ? Non, ils ne le voient pas, pas plus qu'ils ne voient les yeux perçants de chef de guerre du peintre, mon ami, la robe rouge de ma femme ni les deux

* En allemand dans le texte : *"Liebe Rentner, gebt den Angstmachern Keine Chance ! Ja ! Für Freiheit und Wohlstand.* (N.d.T.)

** En allemand dans le texte : *Mit Optimismus in die Zukunft 44 prozent am Sonntag für die SPD.* (N.d.T.)

petites voiles blanches qui jadis, en ce temps-là, un jour de 1818, dans une autre Allemagne, rendaient la mer tellement plus vaste.

Ainsi poursuivons-nous notre voyage d'hiver, accompagnés de voix danoises et suédoises sur notre autoradio ; phares, bateaux de pêche goudronnés, tirés, quille en l'air, sur le sable, et puis soudain, à un moment où je me suis écarté des deux autres, me voilà, au bout d'un petit chemin, devant une porte métallique ornée d'une étoile rouge. Je ne sais pas lire les lettres qui l'accompagnent, mais ce n'est pas la peine, j'ai compris, je vois un soldat russe installé dans une petite guérite. Le vent en a emporté le carreau, le soldat est assis derrière un lambeau de plastique qui claque dans la bise glaciale. Il est coiffé d'un bonnet fourré portant également l'étoile, et il me fixe du regard. J'ai l'impression que nous voulons nous dire quelque chose, mais nous finissons par y renoncer, lui la sentinelle et moi le promeneur, deux espèces animales exotiques sur le territoire d'une troisième. Plus tard dans la journée, nous rencontrons encore par deux fois des soldats russes, petits-fils des vainqueurs d'antan.

Leipzig, 13 mars. Petit entrefilet dans le journal local, la *Leipziger Volkszeitung* : "HONGRIE. Retour au bercail pour les soldats soviétiques. C'est avec le rapatriement d'un bataillon d'infanterie motorisé que le retrait de Hongrie des troupes soviétiques a débuté lundi*."

Il est des choses qui s'obstinent à revenir jusqu'à ce qu'elles produisent un sens. J'en ai déjà parlé, mais rien à faire pour l'éliminer de ma "banque de données".

* En allemand dans le texte : *"UNGARN : Heimfahrt für Sowjetsoldaten. Mit der Rückführung eines Mot-Schützen-Bataillons hat am Montag der Abzug der sowjetische Truppen aus Ungarn begonnen." (N.d.T.)*

En 1956, j'étais à Budapest. C'était plus le fait du hasard ou de mon goût de l'aventure que la conséquence d'une conviction bien définie : un photographe de presse m'avait téléphoné pour me proposer de l'accompagner, l'insurrection venait d'éclater. Quelques jours après j'étais déjà ressorti du pays, juste avant l'entrée des troupes soviétiques. J'avais humé l'odeur de la guerre et remarqué que j'en avais gardé le souvenir : la guerre sentait le brûlé. Des bougies allumées devant les fenêtres nocturnes : veillées funèbres. Des bustes pendus, ceux de Rákosi, de Staline. Je devais retrouver cette image plus de trente ans après dans *le Complice* de György Konrád, et voir ainsi un roman m'apporter la confirmation de la réalité – mes souvenirs ne me trompaient pas. Des cadavres gisaient dans les rues et l'on crachait sur eux. On leur avait glissé des billets de banque dans la bouche : des agents de la police secrète. Par la suite, je vis une photo de leur exécution, visages que l'on ne voudrait pas décrire, espace d'une seconde où des mains veulent arrêter des balles. Le monde qui se cachait derrière celui-là m'est apparu dans le mystérieux roman de Péter Nádas, *Fin d'une chronique familiale*, l'univers stalinien vu par les yeux d'un enfant, la trahison et la mort filtrées par une imagination qui déforme le monde des adultes au point d'en mettre impitoyablement à nu l'insoutenable vérité.

Je pouvais rentrer chez moi, eux étaient obligés de rester. Des gens m'avaient demandé quand nous allions leur venir en aide et je ne savais que répondre à leur question, car il était impossible de proférer la seule réponse exacte. Nous ne viendrions pas. J'avais reçu une leçon de honte et de violence. Par la suite, si j'excepte une visite à Berlin-Est, je ne suis plus jamais retourné dans un pays de l'Est, j'en étais incapable. A mon retour aux Pays-Bas, je trouvai une atmosphère d'hystérie. La foule attaquait l'immeuble du quotidien communiste *De Waarheid* ("La Vérité"). Au PEN Club, où je venais d'entrer, on discutait de la radiation éventuelle des membres communistes. C'était reproduire en petit le même genre de violence auquel je venais d'assister, me semblait-il, et je m'y opposai. Mais leur exclusion eut lieu et je quittai le PEN Club. L'Europe centrale d'où je revenais entrait dans la grande pétrification, que les derniers mois viennent seulement de pulvériser. Au cours des décennies à venir, les historiens exhumeront les archives de cette période, analyseront les humiliations, l'absurdité, la trahison, la mesquinerie, la peur, l'arrogance. Mais nulle part cette chronique ne sera aussi tragique, aussi cynique, aussi ironique, aussi inspirée, aussi hilarante que les romans de Konrád, de Hein, de Moníková, de Kundera, de Nádas et de tous les autres. L'heure des règlements de comptes viendra, comme après toutes les guerres, on dénoncera profiteurs et suiveurs – derrière l'éclatant fondateur d'un nouveau parti se profile déjà l'indic de la *Stasi* qu'il fut hier –, ceux qui sont restés s'opposeront à ceux qui sont partis, et vice versa. Les images télévisées du congrès de la Fédération des écrivains est-allemands en ont donné un avant-goût : d'anciens privilégiés désorientés, qui voient disparaître leurs maisons, leurs subventions et leurs retraites au bord de l'eau et qui, désemparés devant l'avenir, jettent un regard torve aux autres, à ceux qui par leur talent ou leur courage politique ont déjà su conquérir une place à l'Ouest.

La taille de ces sociétés d'Europe de l'Est est assez réduite pour que chacun y sache tout des autres. Mais quand la poussière sera retombée, on découvrira, à côté du monde des actes officiels, des photos, des comptes rendus et des procès-verbaux, celui, bien plus apocryphe mais d'autant plus accessible, des lettres, des journaux intimes, des mémoires, de la poésie, la vérité inattaquable de la fiction, ce dernier refuge de l'imagination subversive, de la résistance.

Le soleil brille sur Leipzig. Je flâne sur la place du marché, près de l'ancien hôtel de ville, je lis en lettres d'or les titres pompeux du duc que servit Goethe, respire les vapeurs brumeuses et pénétrantes du lignite et tente de réfléchir au passé, mais il y a trop de présent. Mes souvenirs concordent-ils avec la réalité ? Je ne sais plus, je revois le visage d'une jeune fille, à Budapest, qui me demande avec de grands yeux quand nous allons venir – elle aussi. Nous ? "Prendre en tenailles", une expression dont je me souviens. Les divisions blindées soviétiques effectuaient un mouvement destiné à prendre la ville en tenailles, et refermèrent les mâchoires de ces tenailles sur la grand-route de Vienne. Etaient-ce bien des divisions blindées ? Ce que j'aurais dû voir m'était invisible, je le lis aujourd'hui chez Konrád. Le communisme hongrois d'avant-guerre, la collaboration, les Hongrois combattant sur le front de l'Est, les désertions pour rejoindre les partisans, l'horreur du contrôle réciproque à l'intérieur des groupes communistes, les tortures et les exécutions – en pleine guerre, alors qu'ils sont encore en Russie –, le retour des survivants, le pouvoir, le stalinisme, de nouvelles tortures, de nouvelles exécutions, il y avait eu tout cela avant les quelques jours où, dans mon innocence, je m'étais promené là-bas au milieu des voitures incendiées, des fusillades, des gens qui faisaient la chasse aux traîtres. Ce qui fait du roman de Konrád un livre d'exception, ce n'est pas la litanie de la cruauté et de la bêtise humaines, c'est sa fausse nonchalance, ce *ton* qui suggère que l'on peut survivre à tout. Les tortures, le cynisme, les ressources apparemment insondables du mal, tout cela est décrit avec tant de force que je devais interrompre régulièrement ma lecture et rester là, un peu bête, une main devant la bouche, incapable d'en supporter plus, et en même temps, par un trait de sorcellerie manichéenne, une sorte d'espoir rayonne sur ce musée des horreurs, on croit entendre un rire continuel, un rire porteur de guérison. Je sais à présent ce qu'était le monde où je me suis promené quelques jours en 1956, d'où il venait, et ce qui l'attendait encore. Voir la fin de cette époque vous emplit d'un sentiment de joie auquel l'observateur que je suis ne saurait prétendre, ce qui ne m'empêche pas de l'éprouver.

Sur le marché, autour de moi, d'autres ont de meilleures raisons que moi de s'occuper de leur passé. Pour ma part, après mon retour de Hongrie, j'étais libre de m'engager ou non dans le choc des opinions : la guerre froide, des gens qui continuaient à excuser le système, des amis qui, pour diverses raisons, avaient placé en lui leurs espoirs, et ces mêmes espoirs déçus au Cambodge et au Viêt-nam ; "libre", c'était à prendre au sens propre, car quelles que fussent nos opinions, notre liberté n'était pas menacée. Comme ils semblent loin aujourd'hui, ces pas de danse acharnés de la gauche et de la droite sur la scène des Pays-Bas ; mais ici, sur cette place du marché, l'affrontement se poursuit, et pour la première fois à voix haute. De larges cercles se forment autour de petits groupes qui débattent des élections de dimanche prochain, de Gysi et de l'or du SED, de Böhme, de Schnur, de Modrow, des traîtres, des exploiteurs, de l'arrogance des intellectuels, des *Stasis* et des *Bundis**, du rouleau compresseur de la République fédérale qui est en train de les laminer, de l'argent, des loyers et du chômage, ils argumentent au milieu des affiches de Kohl, de Brandt et de Schmidt, des kiosques des journaux occidentaux, ils s'énervent et crient

* *Bundis* : habitants de la République fédérale *(Bundesrepublik)*, par opposition aux Allemands de l'Est, surnommés *Zonis. (N.d.T.)*

comme s'il leur fallait rattraper tant d'années de silence, les badauds attroupés marmonnent leur approbation, leur désaccord.

Qui étaient-ils hier ? Quels romans, quels livrets, quels journaux intimes se tiennent là près de moi ? Il y a de l'animation dans les rues de Leipzig, de la gaieté même. Les maisons sont lépreuses, des tramways vieillots grincent sur leurs rails, sur les quais de l'énorme gare des groupes compacts de voyageurs se hâtent vers la foire-exposition. Où sont, parmi eux, les juges, les indicateurs, les hommes de l'année dernière ? La question se pose pour ce pays comme pour d'autres. Où est la "Mme le juge" devant qui Václav Havel lut sa "dernière déclaration", qu'il conclut sur ces mots : "Et c'est pourquoi j'ai le ferme espoir de ne pas être, une fois de plus, condamné sans raison" – sur quoi elle le condamna, une fois de plus, à tant de mois d'emprisonnement. À quoi pense-t-elle quand elle le voit à la télévision en compagnie de Bush ou de Gorbatchev ? Où sont les fonctionnaires qui, de 1979 à 1983, alors qu'il était en prison, décidèrent à plusieurs reprises de ne pas lui transmettre les lettres de sa femme ("parce que tu aurais, à ce qu'on m'a rapporté, transgressé le cadre de nouvelles purement familiales pour me transmettre les salutations de différentes personnes*") ? Où sont "les trois jeunes gens dans la voiture en stationnement devant la maison" dont parle Christa Wolf dans son dernier récit, encore inédit** ? L'ont-ils vue le lire à la télévision ? Retournement de situation digne des contes de fées ou des comédies du XVIIe siècle, les crapauds deviennent princes, les

* En allemand dans le texte : *"Weil du, wie mir mitgeteilt wurde, den Rahmen der familiären Thematiek überschritten und mir verschiedene Grüsse ausgerichtet hättest." (N.d.T.)*

** Cf. Christa Wolf, *Ce qui reste*, Alinéa, 1990.

prisonniers rois, les rebelles ministres, les bourreaux craintifs, les juges accusés. Et les contes sont cruels, il est dangereux de se retrouver du mauvais côté du récit. Mais l'heure du grand "bas les masques !" n'a pas encore sonné.

Il n'y a jamais que quelques rares romans pour condenser si fortement la réalité que le lecteur a l'impression d'avoir déjà rencontré leur héros ou de pouvoir le rencontrer demain. C'est le cas d'Orten, le protagoniste de *la Façade* de Libuse Moníková, un peintre qui entreprend avec ses amis une folle équipée à travers l'Union soviétique pour tenter de gagner un Japon qui se dérobe sans cesse devant eux. Rire dans les catastrophes, ce doit être une qualité typiquement tchèque : le voyage n'est qu'une gigantesque suite de contretemps et d'arrêts forcés, tous les ratages possibles se produisent, mais le lecteur ne peut plus chasser de son esprit l'image des relations tchéco-soviétiques, de ces enclaves totalement incongrues de chercheurs russes perdus en pleine Sibérie, de l'inconcevable absurdité du système ; l'impression est si forte que je voudrais avoir Orten devant moi pour lui demander de me raconter ce qui se passe *vraiment* à Prague ces temps-ci, comme seul en est capable un personnage romanesque sorti d'un livre exemplaire (Cervantes, *Nouvelles exemplaires)*, un personnage qui, de l'apparente réalité du monde, sache faire une vérité.

Cliché : remarque qu'on entend partout, mais qu'on ne peut s'empêcher de faire soi-même. "Ici, on dirait que la guerre vient à peine de se terminer", disait Armando samedi dernier, et c'est vrai aussi à Leipzig. Cela ne vient pas seulement de l'absence de peinture, des voitures d'un modèle antique, des chaussées défoncées, ce doit être autre chose, comme si, malgré le vert des pelouses et le rouge des toits, le décor restait celui d'une photo en noir et blanc, comme si *aujourd'hui* ne se décidait toujours pas à s'installer, d'où apparemment une légère nostalgie chez beaucoup de gens, qui aimeraient voir les choses demeurer en l'état. C'est peut-être ce que veut dire Günter Grass lorsqu'il prétend que la vie ici est *plus lente*, et c'est précisément ce à quoi s'oppose Monika Maron, de même qu'elle s'oppose aux rêves que Stefan Heym voudrait conserver du cauchemar passé. Je me suis surpris moi-même à ce genre de pensées, mais elles sont chimériques. Quant aux vraies possibilités, les intéressés en décideront eux-mêmes dimanche prochain. "L'heure de vérité approche*", écrit le *Sachsenspiegel* à juste titre, et bien qu'il soit encore trop tôt, j'entre au night-club de l'hôtel Astoria pour y prendre le café. Il est dix heures du matin, et aussitôt les revoilà, les temps immémoriaux : des hommes en smoking blanc jouent une musique de thé dansant, la batterie susurre, les violons filent leur sucre. Je me glisse dans la peau de mon défunt père et m'assois dans la peluche. Enormes fauteuils alignés en régiments, coins intimes, tables basses, tabourets de bar carrés tendus de velours – les années cinquante, version démocratie populaire : décors de plastique ajouré et bombé, appliques murales rectangulaires en vitrail peint, jaune et rouge sang. Une réserve : une table roulante chargée de pâtisseries, une grande blonde pour vous servir, une vie de privilèges. Je continue ma lecture de *Die Geschichte ist offen*, "L'Histoire est ouverte" : Volker Braun, Günter de Bruyn, Sarah Kisch, Monika Maron, Günter Kunert. Un contrepoint de voix, et je reste accroché par le superbe essai autobiographique de Maron, qui, plus que tout ce que j'ai lu ces derniers temps, donne une image pleine de clarté et de compassion de ce qu'il est

* En allemand dans le texte : *"Die Stunde der Wahrheit naht." (N.d.T.)*

advenu des gens, en Allemagne, au cours de ce siècle. Un grand-père juif, une grand-mère catholique, tous deux communistes, déportation, des voisins qui choisissent le mauvais bord mais apportent leur aide, une mère qui s'accroche vaille que vaille à la foi communiste d'antan, la rupture : ceux qui vont à l'Ouest et ceux qui restent à l'Est, le grand-père qui n'est jamais revenu, la réconciliation, les retrouvailles d'une famille perdue, le destin, l'histoire qui ne trouve son explication qu'en elle-même.

Dehors, le soleil s'emploie à nier le passé. En me promenant en ville, je vais à la *Thomaskirche*, l'église Saint-Thomas. Bach y est enterré, Mozart, Schumann y ont joué, Mendelssohn y donna la *Passion selon saint Matthieu* pour la première fois depuis la mort de Bach. Avec en prime une photo de Wilhelm Pieck, de Walter Ulbricht et de Dimitri Chostakovitch sur la tombe de Bach. Et là aussi remonte un souvenir : Ulbricht en 1963, avec Khrouchtchev, au congrès du SED. Neige à la frontière, gardes avec leurs chiens, blizzard sur les places où, l'année dernière, j'ai assisté à l'insurrection. Devant l'immeuble du congrès, de petites vieilles s'affairant avec des tapis rouges comme si elles voulaient les lécher. La voix aiguë et grêle à l'accent saxon, des centaines de participants, leurs acclamations*. Cette Eglise-là a été dissoute, celle-ci est toujours debout. Promettre une place au soleil non seulement aux vivants, mais aux morts est apparemment une garantie de longévité. La nef est haute et fraîche, je contemple les visages austères et cléricaux des *Superintendants*** du XVIIIe siècle, hommes en noir sacré, la tête servie sur le plateau de leur collerette à fraise. Quelqu'un joue de l'orgue, une

* Voir ci-dessus "Prologue", "Un après-midi allemand" et "Un discours d'Ulbricht". *(N.d.T.)*
** Evêques de l'Eglise luthérienne. *(N.d.T.)*

forme d'éternité. Puis un autre se met à parler, l'éternité tombe en miettes et, passant devant les affiches des femmes et des verts, je vais à la Foire du Livre où les éditeurs de l'Ouest sont en train de délimiter leurs concessions sur ce nouveau terrain conquis. Sur un palier, des photos de Christa Wolf, de Christoph Hein, de Helga Königsdorf, de Stefan Heym, de Walter Janka, et je songe au procès de Janka, à la trahison de Johannes Becher et d'Anna Seghers, aux sept années qu'il passa en prison et au livre où il en parle, *Schwierigkeiten mit der Wahrheit*, "Des problèmes avec la vérité", puis, par association d'idées, au plaidoyer de Hein pour que les lacunes des années écoulées soient comblées par la vérité sur ces mêmes années. "Les écrivains, pionniers et accompagnateurs du renouveau révolutionnaire*", dit en gros caractères la légende des photos. Est-ce bien vrai ? N'était-ce pas plutôt ce qu'ils avaient écrit chez eux, dans la solitude, loin de la foule, qui pourrait un jour expliquer pourquoi les individus également solitaires composant cette foule, cette abstraction que l'on appelle le peuple, étaient descendus dans les rues de cette ville pour écrire une page à leur tour ?

Berlin, Alexanderplatz, 16 mars. Gysi parle. je l'ai vu arriver en fendant la foule, dans un carrousel de photographes. Il est beaucoup plus petit que je ne pensais, sa casquette n'y change rien. D'où vient la séduction qu'il exerce ? Probablement de son courage – quel individu sensé voudrait se mettre sur le dos un tel passif ? Il est très attendu, la foule grossit de minute en minute. Ils sont jeunes, ils brandissent des drapeaux, ils couvrent la grande place jusqu'aux lointains. Le petit homme se laisse hisser sur la plate-forme d'un camion, je vois ses yeux sombres briller

* En allemand dans le texte : *"Autoren als Vordenker und Wegbegleiter des Revolutionären Aufbruchs." (N.d.T.)*

comme des escarboucles derrière ses binocles. “Et pourtant, même ce fin renard de youpin n’y arrivera pas*”, ai-je entendu dire à Berlin-Ouest. C’était au début, mais il m’était déjà sympathique. Dommage qu’il ait choisi ce parti, je l’accorde. D’un autre côté, un homme politique dont les apparitions vous mettent de bonne humeur, vous en connaissez beaucoup ? “Mais alors, tu es d’accord avec lui ?” me demanda quelqu’un. “Non, pas question, mais il a de l’humour”, répondis-je, et je vis que l’argument ne passait pas. “Il a reçu des offres mirobolantes de la part de cabinets d’avocats de l’Ouest”, dis-je à présent, et cela dissipe un peu les nuages. Un homme qui refuse de l’argent par principe a toujours quelque chose d’un saint. Celui-là, au moins, est sincère.

La foule est patiente, elle continue à croître. Cela promet plus de voix que les 5 % du “noyau dur” du parti. Les orateurs se succèdent, l’avant-dernier est Janka, qui n’a donc pas perdu la foi en prison. Puis vient le tour de Gysi. La nuit est tombée, les grands bâtiments perdent leur inextinguible laideur, forment un cercle de lumière autour de nous. Il parle des erreurs commises, de la rénovation du parti qui est loin d’être achevée, de ce qui, malgré tout, a été atteint au cours des quarante dernières années, des “réparations” que l’Est seul a dû payer, de la propriété et de la protection des loyers, des formes de sécurité qui vont disparaître. Je regarde les visages qui m’entourent. Ils écoutent avec gravité. Gysi ne crie pas, n’impose pas de démonstration, ne recourt à aucun effet démagogique, il ne dit pas non plus comment résoudre les problèmes. Voilà quelqu’un qui parle à contre-courant du temps, ce qui ne veut pas dire qu’il ne représente rien.

* En allemand dans le texte : *“Und doch wird dieser schlaue Judenjunge es nicht schaffen.” (N.d.T.)*

Deux jours plus tard, les dés sont jetés. La CDU a laminé le pays, les socialistes – ceux d'Ibrahim Böhme – n'ont obtenu que la moitié de leurs fameux 44 %, ils font grise mine. Vers minuit, je refais une visite à l'Est. Pas grand monde à Checkpoint Charlie. Je ne sais pas au juste à quoi je m'attendais, mais je ne le trouve pas. Une sorte de fête a lieu dans l'ancien immeuble du comité central, dehors, sur les vastes places, les gens déambulent par petits groupes, près du palais de la République les stands des télévisions occidentales commencent à plier bagage. Je longe un mur qui crie *nein nein nein nein* puis une plaque de bronze où une foule de petits bonshommes grouille sous une énorme tête, celle de Marx. "Pasteur, renvoyez vos brebis", pensé-je automatiquent, sans doute à cause de l'heure tardive. Je voudrais rentrer par la Friedrichstrasse, mais en passant devant une maison j'entends du bruit. Je pousse la porte et me retrouve au milieu des héros de la première heure, les petits partis de la grande manifestation, les précurseurs que les électeurs ont abandonnés. Un fort attroupement entoure une personne que je ne vois pas. Je grimpe sur une chaise et m'aperçois que c'est Gysi. "Où étais-tu l'année dernière ?" lui lance quelqu'un d'une voix avinée et agressive. Avant qu'il ne puisse répondre, un autre est déjà monté sur le podium pour dire que Gysi l'a défendu il y a quatre ans, puis un étudiant qui affirme qu'il disait, il y a des années, des choses que personne n'osait dire, lui-même en a été témoin. Je me demande ce que Gysi fait encore là, pourquoi il ne va pas se coucher. Qu'a-t-il encore à dire à cette poignée de gens après une nuit d'élections ?

Mais, à travers le masque terreux de l'épuisement, je saisis à nouveau le même éclair rieur dans ses prunelles vives, et je comprends qu'on peut attendre de lui, comme de la gravité raboteuse de Modrow, une opposition avec laquelle il faudra compter, et pas seulement dans cette Allemagne-ci. Devant moi, les militants poursuivent leur débat, machines qu'on ne peut plus arrêter. A Checkpoint Charlie je suis le seul à traverser. Les lampes au néon, les gardes, les couloirs, les guichets, le parcours labyrinthique, je les ai pour moi tout seul. *Neue Zeit*, "Temps nouveaux", proclame le mur en lettres vieillottes, bien au-dessus de moi, et cette inscription, elle non plus, ne sera plus là dans un an.

24 mars 1990

Falkplatz, Berlin-Est

11

En 1810, Mme de Staël déplorait l'absence à Berlin de monuments gothiques, la ville ne lui paraissait pas assez ancienne : "On n'y voit rien de ce qui retrace les temps antérieurs*." On ne peut plus en dire autant aujourd'hui, depuis deux siècles et surtout depuis cinquante ans, on a produit ici une telle quantité d'histoire que l'air en est comme saturé ; et je ne parle même pas de ce qu'on y a construit, mais surtout de ce qui a disparu, du pouvoir des lieux vides, de la force d'attraction des choses évanouies – places, ministères, bunkers du Führer, chambres de torture souterraines –, du *no man's land* de part et d'autre du mur, du banc de sable mortel entre deux murs que l'on appelait *Todesstreifen*, "couloir de la mort", de tous ces lieux où se sont engloutis hommes et souvenirs. Berlin est la ville du "non-être", de ce qui a été anéanti sous les bombes, rejeté ou mystérieusement interdit. Il n'en est pas de meilleur symbole que les traces de balles que l'on voit encore si souvent, de petites cavités, des endroits où manque la pierre qui devrait y être, de l'absence, de même que les gens sont absents des stations de métro murées. On les traverse, et on se trouve soudain dans un territoire hanté, un monde abandonné de ses habitants ou dévasté par la peste. Les quais sont vides, balayés d'une lumière fantomatique, de la rame on *voit* le prodigieux silence qui y règne,

* En français dans le texte. *(N.d.T.)*

on sait que, si l'on descendait, on se retrouverait instantanément changé en un très vieux monsieur, avec un journal de 1943 dans sa poche. Les bâtiments "anciens", comme le Reichstag ou le musée de Pergame, produisent une curieuse impression, ils semblent s'être échoués là par hasard, grands navires échappés de quelque ère préhistorique, qui ont apparemment du mal à se rappeler leur passé ou leur fonction.

C'est au château de Bellevue que je me livre à ces réflexions, attendant le moment où Richard von Weizsäcker présentera son invité, Wolfgang Hildesheimer, qui lira ce soir des fragments de son œuvre. Je me suis installé au fond de la salle pour mieux observer le public. Ce pays n'étant pas le mien, je ne reconnais presque personne, je ne vois qu'une assemblée assez nombreuse de dames et de messieurs essentiellement abstraits, qui semblent s'accorder en quelque sorte à l'anonymat rénové de la salle. Un homme arborant d'énormes bagues ouvragées, voilà pour l'extravagance, et Stefan Heym tapi au premier rang tel un vieux héron malfaisant : lui qui, naguère encore, parlait de l'"Etat flibustier" ouest-allemand, s'entretient à présent avec le président aux cheveux blancs. Dans *Die Zeit* de cette semaine, la comtesse Marion Dönhoff parle de Weizsäcker, de sa dignité, de son autorité. Pendant que Hildesheimer lit, j'ai tout le loisir de draper sur la tête du président une perruque argentée, de lui donner un uniforme de chambellan secret à la cour de Sans-Souci. Sa distinction demeure intacte, il est l'aristocratie de l'ancienne Allemagne, du temps où se situe le récit de Hildesheimer, biographie fictive d'un aristocrate anglais qui rend visite à Goethe à Weimar. J'écoute les dialogues inventés qui, depuis Eckermann, ont acquis l'apparence d'une authenticité absolue, et je médite à la ténacité du corps humain. Celui du président paraît à la fois solide et fragile, j'ai peine à m'imaginer que ce même corps abritait déjà son âme lorsque tous deux se trouvaient en 1943 devant Leningrad. Non que je sache exactement ce qu'est son âme, mais ce doit être ce que je vois rayonner par ses yeux froids et lumineux lorsque, peu après, je me trouve près de lui. Ténacité, je ne trouve pas de meilleur terme : je veux parler du corps comme porteur de la mémoire, de l'expérience, de ce corps qui, avec les souvenirs de la guerre, de son régiment dont dix-neuf officiers furent mis à mort après l'attentat contre Hitler et dont presque tous les hommes de troupe périrent, a continué à vivre en une seule ligne ininterrompue, jusqu'à l'instant présent qui le trouve ici, dans cette salle détruite à l'époque, coupe de champagne en main, souriant, bavardant et écoutant.

Je n'ai pas compris, sur le moment, que cette réunion avait aussi un autre but, qu'un certain nombre des visages que je croyais vaguement reconnaître étaient ceux d'hommes politiques de RDA, qui avaient participé à des entretiens informels avant le début de la soirée. Ce n'est qu'à la sortie que j'aperçois aussi Modrow, presque caché par une cohorte de gardes du corps lancés au pas de course. On dirait qu'un frisson glacé parcourt la salle, non à cause de l'homme, mais de l'événement. Il est encore premier ministre, et j'assiste à sa sortie dans une rapide séquence d'images filmiques, les douze hommes qui l'encerclent littéralement, le trot ridicule auquel ils semblent le contraindre, son regard perdu, comme s'il trouvait lui aussi qu'on le fait courir trop vite, puis le pas de côté que je dois faire pour les laisser gagner le perron, les trois limousines noires étincelantes qui attendent un peu plus loin, le claquement des lourdes portières, les lumières qui s'éloignent dans l'allée, l'irréalité, le silence où baigne l'événement.

Dans une semaine, cet homme ne gouvernera plus la RDA, puis il connaîtra sans doute le sort de

Suarez en Espagne, même s'il n'y a pas ici de roi pour faire de lui un duc. Exit Modrow, mais sans l'éclat élisabéthain du vrai drame royal, il reste présent tout en ayant déjà disparu, comme son cabinet de curiosités byzantines réunissant des politiciens de tous bords et huit ministres sans portefeuille. Mais non, pourtant, ce n'était pas une farce, cette cour bizarre de chevaliers de la Table ronde-carrée* a pratiqué pendant cinq mois la quadrature du cercle et, durant tout ce temps, pataugé dans la boue de l'histoire avec un vrai pays sur les bras, pour le déposer enfin, à la demande du peuple, devant la porte de la République fédérale, un cochon-tirelire à côté de lui. Weizsäcker, Modrow, deux vies allemandes parallèles qui n'ont presque rien en commun, si ce n'est ce singulier instant où leurs chemins se croisent ; tous deux ont derrière eux une longue marche à travers les institutions de leurs pays jumeaux devenus étrangers l'un à l'autre, mais cette fois le scénariste a éliminé Modrow du prochain épisode, et la pièce continuera sans lui. Derrière moi, dans le vestibule, alors que les voitures viennent de disparaître au loin, j'entends une voix demander : "Alors, ces types, ils étaient tous de la *Stasi* ?" et une autre lui répondre : "Non, il y en avait six à nous dans le lot. Ils travaillent ensemble, maintenant !"

Conversations – des bribes, des mots que l'on saisit dans l'air ambiant et que, de même qu'en entendant parfois quelques notes on reconnaît immédiatement la mélodie de laquelle elles viennent, l'on situe aussitôt dans un ensemble plus vaste parce que ce sont des mots clés : *Stasi*, un contre un, la Pologne, l'autre côté, *drüben*. Un

* Allusion à la "table ronde", organe de discussion et de contrôle du gouvernement qui fonctionna entre la "révolution" de 1989 et les élections du 18 mars 1990. Elle siégeait en effet à Pankow autour d'une table… rectangulaire. *(N.d.T.)*

vieux bonhomme, dans un café de l'Est : "S'ils croient pouvoir nous baiser avec leur «un contre deux», ça va saigner… je te le dis, ça va saigner. On s'est fait avoir pendant des années, trop c'est trop, tu verras ce qui arrivera à ce De Maizière et à sa clique, ce qu'on a fait à Honecker, c'était rien à côté. On descendra dans la rue, mais cette fois pas avec des bougies, je te le promets !"

A l'Ouest, dans la Kantstrasse : "Je voudrais qu'ils foutent le camp, ces Polaks de merde, tu ne peux plus passer nulle part, ils achètent tout pour moins que nous parce qu'ils n'ont pas de TVA à payer. Regarde-moi ça, tous ces trucs, des magnétoscopes, des radios, des téléviseurs, ils vont les revendre là-bas pour un paquet, mais ici ils viennent pisser dans les entrées d'immeubles."

"Mais pour les commerçants, c'est de l'or en barre."

"Peut-être bien, mais en attendant ils m'empêchent de passer. Merde, quoi, je fais une heure de queue dans mon supermarché, ils font les courses pour des villages entiers, tu verrais ça, un vrai déménagement."

Devant l'immeuble de la *Stasi*, Normannenstrasse. Je suis sur l'autre trottoir et je regarde dans le vague. Tout est calme, en ce matin de Pâques, le bâtiment s'étale au soleil, dans toute sa longueur et sa méchanceté. Un passant, de l'autre côté, me lance en riant : "Alors toi aussi, tu as quelque chose chez eux ?" Non, je n'ai rien chez eux. Dans le silence de la rue, je n'ai pas de mal à l'imaginer, le bruit de la trahison : les voix déformées par le téléphone, les dénonciations, les chuchotements sur le compte du voisin, du docteur, du pasteur, le crissement du télex, la mitrailleuse étouffée des machines à écrire, les paroles d'un informateur qui demeurent en suspens dans une pièce. La *Stasi* employait plus de gens que l'armée, elle avait jeté son filet jusqu'aux villages les plus reculés, chacun pouvait être l'espion de tous, chaque mot pouvait être pris dans la bouche d'un autre et transporté de proche en proche, jusqu'à ce qu'ici, dans ce bâtiment, il se mue en un dossier, en un rapport, en une arme qui allait rester chargée même après le "changement", et pouvait être à présent utilisée contre vous, vous dont on s'était servi ou qui vous étiez laissé utiliser. Qu'a dit ton père ? Qu'a dit ton prof ? Qu'a dit l'élève ? Qu'a dit ce collègue de ton service ? Mots, affirmations, phrases, vraies ou mensongères, qui ligotent les gens dans leur cordon, les attirent lentement dans cet immeuble, additionnent les significations, définissent les positions. Et où est-elle allée ensuite ? Et combien de temps y reste-t-elle d'habitude ? Et qui y rencontre-t-elle ? Des centaines de milliers de gens ont collaboré à cette entreprise, toutes leurs voix réunies feraient un bruit d'ouragan, mais voilà, ce n'est pas le bruit de la trahison, elle est comme le silence, un mutisme à la puissance mille, un chuchotement ténu et glacé de noms et de dates que l'on congèle dans des archives en constante expansion. Je les ai vues cette semaine, les têtes de Böhme, de Schnur, de Hirsch, des têtes de présumés innocents, de coupables possibles, de coupables certains, le visage de la manipulation, de la vengeance – peut-être un dossier de plus, le mensonge, la fine et pénétrante poussière du doute, de la trahison, de la double trahison. La photo de Schnur était la pire du lot : la silhouette géante de Kohl sur un balcon de Dresde ou de Leipzig, en bas, il doit y avoir la foule qui crie : "Helmut, Helmut !" mais la photo ne la montre pas, on n'y voit que la masse corporelle du chancelier se découper, implacable, sur le ciel. A quelques mètres derrière lui se tient Schnur, lui aussi vu de dos seulement. Il observe la distance respectueuse d'un domestique et c'est bien ce qu'il est, le valet pris sur le fait, il a les mains derrière le dos et les serre d'horrible façon, il sait que Kohl sait et que bientôt tout le monde saura : la fin, la honte. Et Hirsch, et Böhme ? Peut-on avoir fait une chose sans le savoir ? Peut-il exister un dossier où l'on est un autre que celui qu'on croit être ? Est-il possible de découvrir une chose dont l'intéressé n'imaginait pas qu'elle fût jamais découverte ? Ou bien ne s'agit-il que de doutes semés dans le seul but de blesser, de détruire ?

L'air de suffisance du journaliste de la *Bildzeitung*, qui dit à Hirsch : "Oui, mais des dossiers, on pourra toujours en trouver d'autres, non ?" Conversations d'un monde falsifié, héritage de quarante ans de pensée corrompue, qui s'est nichée dans la langue, dans les comportements, les dossiers, tout un passé qui surgit dans le présent, qui cherche la ligne de plus grande pente pour s'écouler vers l'avenir – et ce cadavre dans le placard mange, fume, boit, vote et s'assied à vos côtés au café ou à la Chambre du peuple.

Je suis l'étranger, j'essaie de comprendre, j'assiste au concile de millions d'évêques, j'écoute les débats, j'en lis les comptes rendus, la théologie monétaire, la casuistique politique, la scolastique opposant l'article 23 à l'article 146. Où sont les orthodoxes, où sont les hérétiques ? Quelle est l'échelle des péchés et celle des châtiments ? Quel est le taux de change canonique ? "Deux contre un" équivaut à un peuple mécontent et un peuple mécontent est un peuple dangereux. "Un contre un", c'est le chômage, et le chômage, c'est le mécontentement. Mais un certain mécontentement vaut mieux qu'un mécontentement général. Est-ce vrai ? Est-ce faux ? Ce peuple veut l'unité, est-ce un péché ? Il y a un an à peine, je m'en souviens, c'était impensable, les gens à qui l'on parlait à Berlin-Ouest vous disaient qu'ils n'avaient aucune envie d'être réunis à ceux de "là-bas". Parfois ce sont les mêmes, aujourd'hui, qui plaident en faveur d'une confédération, et s'ils avaient gain de cause, on verrait pour la énième fois dans l'histoire freiner ou frustrer une aspiration que nul ne saurait récuser ni ignorer impunément, un courant naturel qui traverse tout le passé allemand, l'élan vers une unité politique telle que la connaissent la France et l'Angleterre depuis le Moyen Age, mais que l'Allemagne ne commença à entrevoir qu'en 1871 et qu'elle ne parvint jamais à faire admettre vraiment de la France. En même temps, du fait d'évolutions internes, la démocratie ne réussit pas à fonctionner pleinement jusqu'en 1918 et, même ensuite, le pouvoir de fait resta entre les mains d'une minorité numériquement faible, mais puissante, de militaires et d'industriels qui, après l'humiliation de Versailles, cherchaient à prendre leur revanche et à reconquérir leurs positions et n'avaient nullement l'intention d'accorder au peuple la démocratie et l'unité qu'il souhaitait, même s'il avait choisi ses chefs et envoyé une majorité sociale-démocrate au Parlement. Sur l'affreuse confusion d'esprit de ces années-là, les documents abondent : rêves métaphysiques travestis en idées séculières chez Spengler, Jünger, Hitler, calculs cyniques des von Papen, des Hugenberg, des Thyssen et leur alliance impie avec les nationaux-socialistes qui, commencée en 1929, culmina en 1933 lorsqu'ils portèrent Hitler au pouvoir alors que – ou plutôt *parce que* – les dernières élections lui avaient fait *perdre* deux millions de voix au profit de la gauche. Barraclough *(The Origins of Modern Germany)* parle à ce sujet d'une "conspiration contre le peuple allemand" et pour ceux qui se plaisent à répéter – y voyant un argument contre la démocratie – que les Allemands ont élu Hitler, il n'est pas mauvais de consulter encore une fois les chiffres. En 1924, les nationaux-socialistes avaient moins d'un million de voix, en 1928 encore moins, en 1930, après le krach de Wall Street et l'effondrement de l'économie allemande, ils en obtenaient 6,4 millions et en juillet 1932, 13,7 millions (il y avait alors plus de six millions de chômeurs), mais en novembre de la même année, le nombre de leurs partisans était retombé à 11,7 millions. Durant toute la période, le nombre de voix sociales-démocrates et communistes demeura sensiblement égal, sur une ligne ascendante de 10,5 millions en 1924 à 13,1 millions en 1932. Le centre catholique, pour sa part, restait égal à lui-même, presque constamment au-dessus des quatre millions de voix. Seuls les autres partis de la classe moyenne s'effondraient, passant de 13,2 millions à 4,2, mais en tout état de cause, aux élections de 1932, plus de 22 millions de personnes *n'ont pas voté* pour Hitler.

La suite, nous la connaissons, et la suite de la suite, pour le pays que nous appelons encore la RDA, nous la savons aussi ; le problème est que, dans le débat sur l'unification, ce savoir peut apparemment être mis en jeu par les deux parties, pour et contre. Ce qui ne laisse pas de me frapper, c'est que l'argument économique est présenté comme une chose immorale ou honteuse, comme si l'on pouvait l'isoler de toutes les autres considérations. En ce sens, les aspirations ouest-allemandes se limiteraient à la conquête d'une nouvelle colonie, tandis que celles des Allemands de l'Est évoquent plus que tout une grossesse à l'envers approchant de son terme : il faut *entrer* le plus tôt possible, au besoin par césarienne, se brancher immédiatement aux canalisations sacrées du placenta et du liquide amniotique que recèle le grand corps. A l'appui de cette vision, le caractère *naturel* du phénomène, mais peut-être le naturel est-il une catégorie à manier avec prudence lorsqu'il s'agit d'un *peuple*, car en fin de compte, les penseurs n'ont pas confiance dans le peuple, à moins, peut-être, qu'ils n'en aient peur. Alors les partisans d'un rattachement immédiat (article 23) se voient imputer un "nationalisme du deutsche mark", tandis que les membres de la minorité plus circonspecte qui s'en tient à l'article 146 ("la présente Loi fondamentale cesse d'être valide au jour de l'entrée en vigueur d'une constitution adoptée en toute liberté par le peuple allemand*") sont sacrés "patriotes constitutionnels". Les autres n'ont déjà même plus droit au titre de patriotes, et parfois même, dans cette controverse conciliaire, on a presque l'impression qu'en optant pour la méthode expéditive de l'article 23, on risque de réveiller tous les spectres du passé. On entend même régulièrement prononcer le nom d'Auschwitz – avec les meilleures intentions du monde, sans doute –, mais en raison du caractère intouchable de ce passé et du caractère indémontrable de ce qu'on veut lui faire dire, cela me paraît relever du blasphème.

Je l'accorde : il serait peut-être plus *beau*, comme le veulent Grass et Habermas, de laisser les Allemands se prononcer sur l'alternative entre un Etat unique *ou* une fédération des deux républiques existantes. Il est vrai que la RDA est, pour le moment, économiquement invalide et dépendante, socialement différente, historiquement grevée d'une lourde hérédité, et qu'avec sa population de seize millions d'habitants, elle serait minoritaire au sein d'un parlement fédéral commun. En d'autres termes : elle aurait trop peu de représentants pour préserver les citoyens de l'ancienne RDA de toutes sortes de désagréments. Si l'on choisit néanmoins la voie de l'unité, du moins le fera-t-on les yeux ouverts, la minorité hostile à l'unification aura les moyens de justifier sa position, et le document de cette justification restera sur la table : vous voyez, il y avait une autre solution. Mais le peuple chante plus vite que ses penseurs, son chant a déjà renvoyé à un oubli ignominieux les chefs de naguère, et le

* En allemand dans le texte : *"Dieses Grundgesetz verliert seine Gültigkeit an dem Tage, an dem eine Verfassung in Kraft tritt, die von dem deutschen Volke in freier Entscheidung beschlossen worden ist." (N.d.T.)*

peuple prend goût à cette mélodie. Et qui connaît assez bien les chanteurs pour oser prétendre que ce chant n'est pas le leur ?

Il pleut, le soleil brille : le diable bat sa femme. Je me tiens donc à la place susdite, un faux jour cuivré illumine les fenêtres opaques, miroitantes, de l'immeuble de la *Stasi*. Je suis sot d'avoir mis tant de temps à le remarquer, mais c'est un fait : ce bâtiment n'a pas de portes en façade, tout le mur aujourd'hui couvert d'inscriptions rageuses est revêtu, jusqu'à plus de deux mètres du sol, de briques tachetées couleur caca d'oie, il soutient les quatre étages aux fenêtres sans visage – on dirait que l'architecte a pris un plaisir pervers à donner la forme la plus parlante possible à la fonction de l'immeuble : la déshumanisation, la fatalité, le Golgotha. On ne peut imaginer qu'aucun des occupants de ce bâtiment y ait jamais bu un verre d'eau, et pourtant ils y ont bu de l'eau, de même qu'ils sont descendus à l'arrêt "Jacques-Duclos" du tramway qui poursuit sa route vers la Lenin Allee et la Hô-Chi-Minhstrasse, qu'ils sont passés devant le kiosque à journaux avec ses patrons de broderie "pour la femme de RDA", devant les étalages mauves du magasin d'appareils ménagers, devant la boutique de vins et spiritueux de Reni, devant "L'Ami des animaux" avec ses perruches vivantes dans la vitrine, qu'ils ont entendu les clameurs qui s'élevaient du stade Hans Zoschke – et puis, par quelque porte latérale, ils sont entrés et se sont mis au travail, normalement, comme tout le monde. Ils ont regardé par la fenêtre, sachant que les passants ne pouvaient les voir, ils ont sorti et rangé des classeurs, pris des notes dans des dossiers, écouté des enregistrements sur bandes, bu un café, et le soir ils sont rentrés chez eux, ils ont promené Wolfgang, le chien, et fait réciter leurs leçons à leurs enfants. "Amour et vérité doivent triompher de mensonge et violence

(Václav Havel)*", proclame une inscription du mur, mais elle n'était pas là à l'époque.

Il y a quinze jours, j'étais allé sur la Falkplatz, une place évacuée récemment par les unités de gardes-frontière de RDA. Dans ce quartier triste entre tous, chacun pouvait apporter ses plantes, mais le service des espaces verts de Prenzlauer Berg** et d'autres institutions officielles, pour leur part, feraient don d'une centaine d'arbres. En même temps, une manifestation de cyclistes devait quitter l'Alexanderplatz pour rejoindre cette place et, à titre de "gâterie spéciale" *(Besonderes Bonbon),* emprunter l'ancien "couloir de la mort", l'espace vide compris entre le mur dédoublé, une plaine dénudée où les gardes-frontière vous tiraient comme un lapin si vous essayiez de la traverser au pas de course. Le soleil brillait, il y avait du monde, tous bêchaient la terre, même le vopo traînait de jeunes arbres dont les racines, avec leurs mottes de terre, étaient encore cachées dans des sacs de jute, il régnait un climat général de bonne volonté, quelqu'un jouait de la flûte, la couleur mauve était omniprésente et certains des cyclistes avaient, à eux seuls, plus de cheveux sur la tête que trente soldats, un garçon en salopette n'en finissait pas de gratter avec une pelle une affiche du PDS*** collée sur un mirador, trop jeune sans doute pour savoir qu'un jour, tôt ou tard, tout s'en va de soi-même, les habitants des immeubles délabrés qui bordent la place étaient assis sur leur balcon, maussades ou apathiques, et regardaient ces imbéciles qui, sous leurs pieds, s'escrimaient à transformer en parc un désert aride et rasé. Quoique peu doué pour la

* En allemand dans le texte : *"Liebe und Wahrheit sollen siegen über Lüge und Gewalt (Václav Havel)." (N.d.T.)*

** Prenzlauer Berg : vieux quartier populaire de Berlin-Est, situé au nord du centre. *(N.d.T.)*

*** PDS, Parti du socialisme démocratique, nouveau nom du SED, l'ancien Parti communiste est-allemand. *(N.d.T.)*

botanique, il me semblait que toutes ces essences différentes étaient plantées bien près les unes des autres, mais la terre embaumait et de jeunes filles y creusaient des trous à la main pour y déposer de menues plantes à fleurs jaunes, un garçon passait à bicyclette avec une maquette de mirador sur son porte-bagages, il y avait des chants et des rires, et devant le décor de ce mur dévorant, des miradors abandonnés, environné de ce sable naguère si mortel, j'éprouvais une intense sensation de bien-être ou peut-être simplement de bonheur, j'étais désormais ici aussi de "mon" côté du mur et je voyais mon monde s'étendre là-bas et j'essayais d'imaginer comment ces deux quartiers de la ville se blottiraient l'un contre l'autre et comme d'habitude je n'y arrivais pas, c'est trop difficile, car il faut d'abord supprimer ces tours et ces murs et ce sable et y mettre des choses que je ne vois pas encore, je sais que le vide sera comblé et je ne sais pas comment, je ne suis pas un planificateur mais un vérificateur et c'est en vertu de cette mission qu'à présent, un autre à présent, deux semaines plus tard, je suis revenu sur les lieux, je suis descendu de la *S-Bahn*, à l'arrêt de la Schönhäuser Allee, j'ai pris la Kopenhagenerstrasse et traversé à pied ce quartier infiniment plus triste encore sous la pluie, et en longeant le mur me revoilà sur cette place : personne, ni flûte, ni voix, l'affiche du PDS colle toujours au mirador et nargue la pluie, et les jeunes arbres aussi sont toujours là, nus, raides, perdus, tilleuls, sapins, pins et châtaigniers, et l'espace d'un instant je songe que je voudrais m'abriter ici dans cinquante ou cent ans sous les puissantes cimes de cette forêt de l'espérance, et je souhaite que ses planteurs ne soient pas déçus.

21 avril 1990

12

“Politique-fiction” : voilà comment on aurait qualifié, l’année dernière, un roman où un premier ministre chrétien-démocrate de RDA, au nom bien français, se serait envolé pour Moscou afin de s’entretenir avec Gorbatchev d’une éventuelle adhésion de l’Allemagne unifiée à l’OTAN. On voudrait voir la scène au moins une fois : le Honecker d’il y a un an, tenant à la main le journal d’aujourd’hui, en proie à une attaque de... court-circuit, et allumant la télévision pour voir De Maizière descendre à Moscou la passerelle de l’avion. Quel genre de réalité vivons-nous, à la fois absurde et réelle ? J’habite une ville, je prends le bus, je vais au Reichstag. La porte de Brandebourg a été dépouillée de ses chevaux et de son char triomphal et, monument émasculé, est entourée d’échafaudages. Tout autour, l’esplanade est vaste et ouverte, la nuit on démantèle le mur. Des gens traversent ce terrain vague, soldats bottés d’Allemagne de l’Est, un enfant, silhouettes luttant contre le vent, en fond de décor l’hôpital de la Charité. Je vais de l’autre côté, on me laisse passer sans formalités et, dans une baraque de bois, je change mes marks de l’Ouest contre ceux de l’Est, à trois contre un. On peut aussi changer au noir, partout des changeurs d’allure douteuse vous attendent, des liasses plein les mains. Ils offrent un taux bien plus avantageux, mais cela a quelque chose de méprisable, inutile d’en rajouter. Vous êtes à dix minutes de chez vous, le temps est le même, vous entendez parler la même langue, mais voilà que dans vos poches l'argent s'est mystérieusement multiplié, car non seulement une de vos pièces en vaut trois de chez eux, mais une soupe coûte 1,50 mark, un goulasch 3,95, une bière pression 1,20 mark, et tous ces prix, on peut les diviser par trois et ressortir du restaurant avec une impression *bizarre* et aller à la librairie d'à côté acheter une superbe édition bilingue de René Char pour 6 marks, c'est-à-dire pour 2. Impossible – et pourtant vrai. Seuls les grands hôtels exigent un paiement en marks de l'Ouest, et en prenant de l'essence il faut parfois – mais c'est l'exception – fournir la preuve que l'on a changé au cours officiel. On magouille, on spécule, on calcule à grande échelle, on entend partout le clapotis, l'aspiration, la palpitation de l'argent, il bourdonne dans toutes les conversations, pousse ses tentacules dans le domaine de la peur, de l'incertitude : qu'arrivera-t-il à partir du 2 juillet*, quelles seront les conséquences sur la vie de chacun ?

Voyage en RDA. Je prends la route que j'ai déjà si souvent prise en direction des Pays-Bas, mais aujourd'hui je peux la quitter, m'enfoncer dans le pays. Magdebourg, Halberstadt, une cathédrale, encore une, des cloîtres, de nobles gisants sur leurs tombeaux, un monde conservé dans la glace et que le dégel nous restitue. Pourtant, l'image est fausse : pourquoi, alors, cette impression ? Une guerre, des bombardements, une restauration, et durant tout ce temps, bien sûr, ces églises étaient là, l'épouse anglaise d'un des Otton gisait ici, dissimulée dans son mystérieux sourire qui lui donne l'air d'entendre un bruit lointain – mais lequel ? Je déchiffre son nom, le sculpteur a fait de son épitaphe un rébus en

* Le 1er juillet 1990 est entrée en vigueur l'union monétaire. *(N.d.T.)*

Officier russe à Magdebourg (RDA), mai 1990.

entrelaçant les lettres de ses titres et de ses vertus, mais j'arrive encore à la lire, de même que je sais lire l'écriture des chapiteaux, des images taillées dans le bois des stalles, qui racontent partout la même histoire et confèrent malgré tout, à cette Europe éternellement divisée, un semblant d'unité dans ses églises. C'était la fermeture de ce pays qui nous donnait l'impression que ses églises avaient disparu, et aujourd'hui encore on dirait qu'elles s'étaient absentées durant plusieurs décennies et viennent seulement de rentrer pour retrouver leur place au milieu des étranges clapiers de l'architecture socialiste, oiseaux migrateurs revenus parmi ces HLM fragiles et délabrées, formes paradoxales, corps étrangers installés pourtant dans leur site d'origine. J'observe les visages médiévaux, les figures à la Holbein adossées à leurs hautes pierres tombales dressées, les anges rongés et couleur de suie, les noires parois rocheuses de ces hauts bâtiments, je visite l'église sur les pas d'un groupe d'enfants guidés par leur professeur et j'entends les phrases harmonieuses dont il les nourrit à voix basse, les histoires qu'il leur raconte sur l'ancien empire, et il me semble que ce ne sont pas seulement ces récits ancestraux qui sont ainsi rendus aux enfants, mais la langue allemande qui en est indissociable, comme si elle leur avait *manqué* un moment. Elle n'était pas disponible, une autre variante de la langue était à l'ordre du jour, une variante où d'autres mots avaient la cote et où les formes dissidentes de l'histoire se tenaient cachées, absentes sans avoir jamais réellement disparu. Peut-être est-ce justement ce à quoi nous assistons ici : sous une croûte superficielle de copulation et de voracité matérielle, une Allemagne congédiée, *ajournée*, se restitue à elle-même, et nul ne sait très bien encore quel usage faire de cette restitution. Mais en tout état de cause, il s'accomplira dans la langue, et ce ne pourra être la langue qui sert à "commander des chaussettes à Taiwan" (Peter Sloterdijk), pas plus d'ailleurs que celle qu'employait il y a deux ans *Neues Deutschland*, l'organe officiel des communistes est-allemands, ni la variété panallemande de jadis, celle qui avait cours entre 1933 et 1945 et qui a véhiculé tant de mensonges qu'un certain nombre de mots ne s'en relèveront jamais, et là où les mots manquent, la parole se bloque et apparaissent le non-dit, les mots couverts, le silence. Les deux mots *sprechen* et *versprechen* sont en allemand des doublets qu'on ne retrouve ni en néerlandais ni en français : parler et promettre sont deux choses différentes ; les Néerlandais peuvent avoir la langue qui fourche *(zich verspreken)* et les Allemands aussi, mais ils sont les seuls pour qui cela implique une "promesse" – et c'est à cette promesse que songe Peter Sloterdijk lorsqu'il dit qu'être allemand signifie être incertain de ce que l'on peut promettre à soi-même et au monde : "Celui qui veut promettre quelque chose en allemand devra à l'avenir se poser des questions plus fondamentales sur le quoi et le comment de son discours que personne d'autre au monde*."

Tandis que je continue à suivre les enfants (ils se trouvent à présent près de saint Maurice et le professeur dit : "Vous avez vu ? Un saint noir !"), mes pensées dérivent vers des régions où j'ai du mal à les suivre : une langue est-elle non seulement ce qui s'y dit et s'y écrit, mais aussi ce que l'on peut *virtuellement* y dire ? Et s'il en est ainsi, qu'est-ce que cela signifie ? Certaines langues sont-elles moins capables que d'autres d'exprimer le mal ? Est-il des langues où il est plus facile de mentir ? Et si c'était le cas, combien de temps

* En allemand dans le texte : *"Wer auf Deutsch etwas versprechen will, muss sich über das Was und das Wie seines Redens in Zukunft radikalere Gedanken machen als irgendwer irgendwo sonst." (N.d.T.)*

faudrait-il à une langue pour qu'elle guérisse de ses mensonges ? Ou bien, si la langue elle-même est innocente, et seulement la victime, ou une victime parmi d'autres, au même titre que les gens à qui elle a permis de mentir, que faut-il faire pour la guérir ? Et qui doit s'en charger ? Quelque chose amuse les enfants, les éclats de leurs rires aigus s'élèvent jusqu'aux voûtes et, de saisissement, ils font eux-mêmes "chchut, chut !" – et pourtant, du fait de leur présence et de la mienne en ce lieu qui les mêle, eux et leur rire, à mes pensées, on dirait qu'ils me disent : "Nous, nous allons nous en charger", et en même temps je comprends (à la façon dont on réussit soudain à exprimer une chose que l'on sait depuis longtemps) à quel point il est étrange que l'on naisse *dans* une langue, ce qui revient à vous plonger un instant, pour la durée fortuite de votre vie, dans le courant d'un fleuve. Mais ce courant ne reste jamais égal à lui-même, vous aussi vous le modifiez, après vous il n'est plus le même. Ce courant, pour moi, ce sont les mystiques du Moyen Age, Ruusbroec, Hadewych d'Anvers, les paroles que prononça le juge pour condamner Oldenbarnevelt, le poète Vondel, mais aussi Max Blokzijl*, et sous ou derrière la surface de ces paroles écrites ou articulées, l'infini marmottement des générations successives, la masse en constant alluvionnement des mots et des phrases où nous baignons et que nous manions ; et pour ces enfants dont les mains caressent les diablotins et les figures animales des stalles, ce sont les mots que Luther traduit du grec à la Wartburg, mais aussi les échos germaniques de la *Chanson des Nibelungen*, la houle puissante de Hölderlin et les mots oubliés que Handke restitue en décrivant les paysages de son enfance dans *Die Wiederholung*,

* National-socialiste néerlandais, responsable de la propagande et chroniqueur à la radio pendant l'occupation. Exécuté en 1945. *(N.d.T.)*

“La Répétition”, ce sont les cris de la guerre de Trente Ans, mais aussi les secs rapports de Himmler ou les vociférations de Goebbels, ou la réponse de Gottfried Benn à Klaus Mann et les regrets dont il devait témoigner plus tard : une interpénétration incessante, vivante, de paroles dites ou écrites, la conversation d'un peuple avec lui-même, une langue qui, peut-être, se purifie d'elle-même lorsque disparaît la contrainte des systèmes qui ont abusé d'elle, de même que, des années après la dernière cigarette, les poumons sont enfin nettoyés.

Je suis en route pour le Harz. Des amis berlinois ont eu un petit rire soupçonneux lorsque je leur ai énuméré les buts de mon voyage : la *Hexentanzplatz*, la *Rosstrappe**, le mont Brocken, la grotte de Barberousse, la Wartburg, l'Allemagne des quêtes solitaires du Graal, du sang du dragon, des cris de sorcières, de la légende, du souvenir nostalgique. Pourquoi les sorcières de Macbeth, l'antique crépuscule des druides et les héros irlandais ne suscitent-ils pas le même frisson ironique que les bonnes femmes glapissantes du *Faust* de Goethe ou le *Weia Weiala Walla* de Richard Wagner ? Je ne vois de réponse que celle-ci : en Angleterre, ce monde légendaire est mort de sa belle et douce mort dans l'anémie du préraphaélisme, tandis qu'ici il a fait un *come-back* spectaculaire en se mêlant aux symboles de l'anéantissement et de la mort. Car enfin, Kniébolo (le nom de code d'une incroyable puérilité que Jünger avait imaginé pour Hitler, comme pour le rendre inoffensif en le transformant en une sorte de Pinocchio) était aussi un adepte fervent

* La *Hexentanzplatz* (litt. “lieu de la danse des sorcières”) et la *Rosstrappe* (“le pas du Cheval”) sont deux rochers dominant la vallée de la Bode, dans le massif du Harz, où se trouve également le mont Brocken. Sur la grotte du *Kyffäuser* ou grotte de Barberousse, voir ci-après chronique 13. *(N.d.T.)*

du *Nie wieder-Erwachens wahnlos holdebewusster Wunsch* – de ce “vœu sans illusions et conscient de son charme : ne jamais connaître de réveil”, de la langue comme anesthésie de la pensée, de l’évasion hors du monde rationnel.

Mon zèle est récompensé, ou bien le décorateur de ce théâtre est dans de bonnes dispositions à mon égard. A peine suis-je aux environs de Thale, où je dois trouver la piste de danse des sorcières, que de blanches nappes de brume se déploient doucement autour de ma voiture. J’aperçois une pancarte indiquant un téléphérique et bien que cette élévation dans les airs s’accorde parfaitement aux mœurs des sorcières, je préfère terminer le chemin à pied, un peu d’effroi ne fait pas de mal. Ce que j’avais pris pour des brumes n’est que de simples nuages surgissant par intermittence, les arbres suintent d’humidité, on ne voit pas âme qui vive. Lorsque j’atteins enfin le sommet, le mercantilisme a déjà réglé son compte à la légende : un parking pour autocars, un restaurant avec une sorcière comiquement peinte au-dessus de l’entrée, une baraque à saucisses chaudes, tout cela vide, mort. Je me promène un peu dans cette légende gâchée et finis tout de même par trouver, au bout du terrain, l’endroit précis où il y avait bal la nuit de Walpurgis, j’escalade les rochers glissants, retenu par un garde-fou rouillé qui n’aurait pu que gêner les sorcières à l’atterrissage. Ici, le génie du lieu n’a pas complètement disparu, devant moi le gouffre est profond, des sapins effrangés poussent en équilibre sur les parois rocheuses, des nuages en lambeaux, du mystère, et, le bric-à-brac mercantile étant désormais derrière moi, je peux me laisser aller à la beauté de l’endroit. A part un léger chuintement de brise dans les arbres, il règne un silence compact, propice à l’imagination, mais avant que ne surgisse la moindre image à faire frémir, le souvenir est là qui s’impose : un acteur à la mise curieuse, une espèce de pyjama vert, dansant sur une petite scène. C'était il y a quelques mois, j'avais lu dans un journal que, quelque part à Berlin-Est, un petit théâtre justement dénommé "Sous les combles" allait donner en *one man show* une représentation de *Faust*, les deux parties, s'il vous plaît.

Les deux parties, c'était évidemment impossible, il aurait fallu dix heures, mais tout de même. De la vingtaine de spectateurs, j'étais sûrement le plus âgé, comme d'habitude, les autres étaient de jeunes gens sérieux, désireux de s'immerger toute une soirée dans Goethe.

L'acteur avait dépassé la quarantaine et portait le vêtement susdit, manifestement confectionné à domicile et qui lui laissait largement la liberté de mouvement dont il avait besoin car, jouant plusieurs rôles, il devait sauter comme un cabri. Bien entendu, des vents devaient souffler, des chœurs être déclamés, des sorcières hurler leur méchanceté, et à cet effet il avait un magnétophone dissimulé derrière un pan de rideau, mais qu'il devait sans cesse mettre en marche tout en masquant ce mouvement toujours identique (car la machine ne pouvait guère changer de place) sous l'ornement de pas de danse toujours renouvelés. C'était épouvantable et superbe à la fois. Il possédait son texte à la perfection et tint plusieurs heures sans un trou, mais lorsqu'il voulait crier synchroniquement avec sa propre voix enregistrée, il dérapait, la voix naturelle et la mécanique jurant comme deux fausses jumelles, effroyable. A l'entracte, saturé, je voulus m'esquiver hors de ce grenier, mais un esprit diabolique avait fermé à clé le vestiaire ; au fond, cela valait mieux, car de nouveau le pyjama vert, avec ses combines d'histrion, réussit à m'entraîner dans un univers faustien d'obscurité et de recherche de la lumière, de lubricité et de soif de connaissance, il était à lui seul le diable et le docteur. Il était Marguerite et les sorcières, à lui seul il m'avait ensorcelé et à présent, dans ce lugubre coin de la forêt, je ne pouvais m'empêcher de penser à lui, à cet homme qui avait fait entrer Goethe dans sa chair et m'avait enveloppé dans le cocon de ses vers avant de me renvoyer chez moi – mais non sans que nous l'eussions rappelé par trois fois, les graves enfants et moi, pour un tonnerre d'applaudissements. Je revins lentement sur mes pas, repassant devant la baraque aux boulettes de viande et l'auberge self-service. Sorcières, boulettes, Goethe : sans ironie, le monde serait devenu invivable. Le postmodernisme n'est pas dans la tête de l'auteur, mais dans le monde.

Du fond de la vallée, j'avais aperçu un hôtel, et je voulais m'y rendre. Les nuages tournèrent carrément à la pluie, mais la route se remit à monter et finalement je parvins à la même hauteur, mais de l'autre côté du précipice. Dans le nuage qui enveloppait l'hôtel, je distinguai deux voitures occidentales et deux Trabis, il devait donc rester de la place. Le jeune réceptionniste estima que je devais payer en marks de l'Ouest : ici, un accent peut vous coûter cher. La chambre avait un balcon qui devait donner sur la vallée, mais la porte était fermée à clé. Un vilain chiffon orange jouait les rideaux devant la fenêtre, il n'y avait ni douche digne de ce nom ni toilettes, et pour toute réclamation on était prié de s'adresser au "collectif". Eh bien, collectif, la lampe de chevet ne marchait pas ! La douche était d'une propreté douteuse, le reste du cabinet de toilette constellé de traces de peinture : ce ne sont pas ces éclaboussures qui importent, mais ce qu'elles révèlent. Le robinet, le miroir, le rideau, le couloir, ils tiennent tous le même langage : va te faire cuire un œuf, nous avons pris le large et d'ailleurs, quand nous étions encore là, nous n'y étions pas non plus.

Le pas du Cheval : c'est ici que Brünhilde, jadis, s'enfuit devant le chevalier Bodo, son cheval prit son élan pour un bond formidable et s'envola au-dessus de l'abîme, on voit encore l'empreinte de son sabot, elle est assez grande pour que je m'y tienne. Grimpant jusqu'ici par un sentier boueux, j'ai rencontré un autre client de l'hôtel, qui m'a décrit le site comme "mystique". Ses verres de lunettes luisaient sous la pluie et je l'ai trouvé lui-même mystique, mais lorsque je parviens à mon tour à l'endroit précis où Bodo roula dans le gouffre, c'est tout le romantisme allemand qui vient m'envelopper, le paysage vierge du ravin lance un cri langoureux ou douloureux, un oiseau inconnu, au masque blanc, se pose devant moi sur un rocher inaccessible et se met à chanter sans demander son reste, plus loin, sur une dent de dragon, un improbable alpiniste a planté une croix où la brume s'enroule comme une écharpe. J'aperçois un sentier qui descend en zigzag vers la rivière que, d'ici, j'entends sans la voir. Collines chinoises, arbres japonais, le paysage allemand n'est plus qu'un lavis oriental. A mesure que je m'enfonce dans la vallée, les oiseaux se font plus tapageurs, ils se jettent dans le précipice et s'y laissent planer, calligraphient une lettre avant d'aller poursuivre leur harangue sur un rocher plus éloigné. J'essaie de comprendre ce qu'ils me disent, mais l'un ressemble à un Chinois qui parle de gastronomie et l'autre traduit Anna Bijns* en langage ailé, il vaut mieux renoncer, et tandis que le soir descend, je remonte, je vais retrouver l'hôtel, sa salle à manger au ficus et à la sansevière, avec ses citoyens qui engloutissent des sangliers : air des montagnes, satisfaction. Avant de me coucher, je jette un regard au-dehors, mais il n'y a plus rien à voir, j'habite un nuage, le séjour des nuées, *Niflheim*, la tenue de camouflage de la mythologie germanique ou, comme l'écrit Gottfried Benn : "Encore et toujours des traînées de

* Poétesse anversoise de la Renaissance, de l'école des rhétoriqueurs. *(N.d.T.)*

vapeurs et des lambeaux de brumes, et un besoin de peaux d'ours dignes des «admirables anciens Germains», comme on les appelle dans les émissions de la radio*. A partir d'un endroit de ce genre, Taine aurait sûrement postulé une théorie géophysique pour expliquer que notre nation, au fond de son être, soit étrangère à la clarté et à la forme, ou si l'on veut, à l'honnêteté." A titre d'antidote, j'essaie de continuer un peu ma lecture du *Voyage dans le Harz* de Heine, mais j'en suis justement à un passage où le poète, au pied du Brocken, se dispose à prendre un *déjeuner dînatoire*** de fromage et de pain en compagnie d'un "jeune berger au frais minois", tandis que les moutons lèchent les miettes et que de blanches vachettes aux grands yeux "gambadent aux alentours", mais de ces bergers-là, on n'en fait plus, en outre le sommeil s'approche en bourdonnant au-dessus de ma tête mais, par malheur ou par bonheur, j'allume tout de même mon walkman, je capte une station de RDA et j'entends la voix d'un homme assez âgé, qui s'adresse à un "jeune ami" pour développer des arguments et tenter de le convaincre : aucun doute possible, ce sont des écrivains, l'espèce se reconnaît immédiatement. L'interpellé est absent, la voix reste sans écho, une voix intelligente, solitaire, désillusionnée, triste. Apparemment le plus jeune a parlé quelque part de la trahison d'Anna Seghers vis-à-vis de Walter Janka, il a lancé des insinuations à propos de Christa Wolf et de Stefan Heym, et la voix se demande si le jeune homme est suffisamment informé de ces sujets, s'il est au courant des conversations d'Anna Seghers avec Walter Ulbricht, s'il connaît la douleur des drames de conscience. Revoilà donc, une fois de plus, les déchirements entre foi et conscience, et le possesseur de la voix sait de quoi il parle, car il a fait, lui aussi, tant

* La radio de l'époque nazie. *(N.d.A.)*
** En français dans le texte. *(N.d.T.)*

d'années de prison sous le régime ("tant d'années volées à ma vie"), condamné qu'il fut par des gens qui *eux-mêmes*, sous un précédent régime, avaient connu de longues années de détention, et voilà qu'aujourd'hui ce "jeune ami", non content d'attaquer Anna Seghers, s'était lancé dans un plaidoyer en faveur de la publication en RDA, trop longtemps différée selon lui, "d'antisémites comme Céline et Pound, de Gottfried Benn avec ses élucubrations eugéniques, d'un belliciste comme Ernst Jünger, qui conservait sur son bureau le casque transpercé du soldat anglais qu'il avait tué pendant la Première Guerre mondiale". Qu'adviendra-t-il – me demandé-je dans les brumes de mon demi-sommeil – de tous ces croyants de l'ancien dogme, qui ont terriblement souffert de sa pratique, ont même été flétris comme hérétiques, mais n'ont pas pour autant perdu la foi ? La semaine dernière, j'ai lu un joli petit livre de Stefan Hermlin, *Abendlicht*, "Lumière du soir", où il parle de son enfance et de son père, de la riche bourgeoisie juive dont il est issu (ce que les Français appellent *"la haute juiverie*"*, expression dont on se demande toujours si elle ne désigne pas une espèce d'oiseaux extrêmement rare) –, un milieu libéral, mélomane et par-dessus tout allemand, où l'on possédait chevaux et tableaux. (Un jour il reverra dans un musée d'Oslo les Munch et les Redon qu'il avait connus chez lui dans son enfance.)

En rentrant chez lui un jour de l'été 1931 – il est lycéen à l'époque – il s'arrête devant un groupe de chômeurs qui lisent le journal exposé dans la vitrine d'un magasin, faute d'argent pour l'acheter. Il écoute leurs conversations et revient par la suite au même endroit, jusqu'à ce qu'un des ouvriers, un beau matin, lui adresse subitement la parole d'un ton un peu moqueur, à cause de son allure de lycéen de bonne famille, et lui

* En français dans le texte. *(N.d.T.)*

propose d'adhérer aux Jeunesses communistes allemandes. L'homme lui tend un bout de papier aux lettres pâlottes et à peine lisibles, un formulaire d'adhésion recopié, qu'il signe. La phrase qui suit évoque en tout point Paul sur le chemin de Damas : "La rue se mit à tourner lentement et sans interruption autour de moi*." Cet instant déterminera sa vie – sous le nazisme, il se réfugie en Suisse ; son père, qui reste, mourra à Sachsenhausen.

Après la guerre, il opte pour la RDA, et est resté communiste jusqu'à ce jour, tout comme l'homme dont j'entends la voix sans savoir qui il est. C'est le moment désespérant du presque sommeil où tout se retire très loin, mais s'agrandit aussi démesurément, la voix s'est installée désormais *dans* ma tête et l'on dirait que le dédoublement de ces hommes, l'élévation de leurs idéaux et la moisissure stalinienne qui a si pernicieusement rongé leurs rêves de jeunesse, veut s'incruster aussi dans mon cerveau, cherche à s'y insinuer à travers la torpeur grandissante que distillent les deux éponges de mon walkman. Quand l'homme s'arrête enfin, j'apprends son nom : Günter Rücker. Plus tard, de retour à Berlin, je me renseigne : c'est un cinéaste de près de soixante-dix ans qui a fait des films superbes, et écrit en 1984 un très joli premier livre, *Herr von Oe.* Quant au "jeune ami", je ne sais toujours pas qui il est.

Autre matin, autre brume. J'entends se déplacer les chants des oiseaux, ils volent apparemment en pilotage automatique. Le journal du matin chantonne sur une mesure de "deux contre un, un contre un", les arts ne sont plus subventionnés, un groupe de messieurs de l'Est et de l'Ouest réunis autour du petit déjeuner s'affaire à dépecer une sablière ou au contraire à la constituer. Ceux

* En allemand dans le texte : *"Die Strasse drehte sich langsam und unaufhörlich um mich." (N.d.T.)*

de l'Ouest arborent du cuir, ceux de l'Est, les costumes de Nikita Khrouchtchev, et cela aussi, bientôt, disparaîtra. Je reprends le même sentier de montagne qu'hier, mais cette fois je descends vraiment jusqu'à la rivière, que je traverse sur le pont du Diable – il fallait s'y attendre. En bas, le brouillard est absent, je me penche au-dessus de l'eau bouillonnante et je vois un cincle plongeur disparaître dans la coupole rebondie de son nid collé à la paroi rocheuse, puis en ressortir et, petite hélice sans corps, s'éloigner à tire-d'aile au ras de l'eau. Le sentier monte et descend, selon l'altitude, les feuilles des châtaigniers sont écloses ou encore en bourgeons. Le prochain village est à douze kilomètres, je ne rencontre personne. A un détour du chemin, quelqu'un a sculpté l'inévitable Goethe dans le granit qui le passionnait tant : *Der Geist aus dem wir handeln / ist das höchste*, “l'esprit qui nous fait agir / est ce qu'il y a de plus élevé”. “En l'honneur du bicentenaire, Association culturelle de Thale.” Il est midi lorsque j'arrive à Treseburg, boueux et trempé. Après le déjeuner, je demande s'il y a un autocar pour rentrer à Thale : en effet, mais seulement en fin d'après-midi, et un taxi coûte quarante-trois marks. Lorsque je dis que je choisis cette solution, l'aubergiste décide de me ramener lui-même. Durant ce trajet de retour, j'ai droit à une leçon de socialisme pour chefs d'entreprise : les amendes lorsqu'on encaisse trop de bénéfices, les tracasseries des fonctionnaires, la pile de formulaires à remplir pour être autorisé à repeindre un rebord de fenêtre, la pénalisation de tout effort supplémentaire – tout ce qui, en principe, appartient au passé, “mais, monsieur, je demande à voir, car ces types-là sont toujours en place”.

Ce refrain reviendra les jours suivants chez tous mes interlocuteurs, entrepreneurs ou employés, enseignants ou étudiants, serveurs ou clients faisant la queue devant un restaurant. La rancœur est immense, les gens ne savent plus où ils en sont, si leur entreprise va fermer ou non, si leur enfant pourra ou non faire des études, si les examens qu'il a passés seront encore valables à l'Ouest, ce que valent les économies de grand-mère, s'ils pourront garder leur emploi, et si le gérant d'entreprise nommé en son temps par le parti ne sera pas le propriétaire de demain. Les hommes politiques de l'Est et de l'Ouest rament à contre-courant de ce brouillard d'incertitudes en affichant la plus grande confiance sur les visages et dans les propos, ils parlent de trois ans, peut-être de cinq, et de l'âge d'or qui suivra. En attendant, chaque semaine, quatre mille personnes continuent à passer dans l'autre Allemagne.

5 mai 1990

13

Quedlinburg, Stolberg, une Allemagne de cartes postales. Il suffira d'y donner un bon coup de peinture, et les autocars afflueront ; certaines villes ont été construites, voilà des siècles déjà, pour le tourisme : les colombages des façades, les armoiries sur les murs, les tiroirs-caisses gloutons. L'habitant de ces lieux est irrémédiablement frappé de folie, il appartient au décor et devient un figurant, son âme vendue erre sur des milliers de photos anonymes dans des albums à Tokyo, Saint Louis, Düsseldorf ; la population vit de la nostalgie des autres : c'est ainsi qu'on se représente l'histoire, c'est ainsi que le passé doit se comporter. Je traverse ces lieux, touché et chagrin : le pittoresque des autres, des êtres vivants traités en pièces de musée, c'est insupportable.

La nature s'en moque éperdument. Il y a peu d'industries ici, les arbres fruitiers sont en fleurs, le paysage se déroule et se déploie de lui-même. C'est agréable, mais la douceur n'est pas ce que je préfère, certainement pas lorsqu'elle se prolonge trop longtemps, redonnez-moi plutôt du désert, ou de la grande ville délabrée, je ne me suis jamais représenté le paradis comme un jardin bien ratissé. Souvent, les routes sont encore pavées, cela évite d'être trop bercé ; dans l'autre partie du Harz, passé la frontière, les paysages ont déjà été définitivement domptés, on a l'impression que tous les habitants sont des retraités, et bientôt il en sera de même ici, réunification égale uniformisation. Des nuages de plomb et parfois une averse, des éclaircies qui posent une touche vive sur la verdure, le temps donne le ton à la destination de mon voyage, le *Kyffhäuser*, un paysage de montagnes parmi lesquelles, selon la légende, quelque part dans une grotte, l'âme inquiète de l'empereur Barberousse attend l'unité allemande. Que cette légende, à l'origine, n'ait pas été tissée autour de lui, mais de son petit-fils Frédéric II (*stupor mundi*, l'ébahissement du monde) n'a plus aucune importance depuis longtemps. Frédéric Barberousse convenait mieux aux nationalistes en quête d'unité du début du siècle dernier, n'avait-il pas été le dernier à régner sur un empire de quelque réalité ? Certes, il était allé à Canossa, en 1077, baiser les pieds du pape Alexandre (les peuples ont la mémoire longue, ce baiser devait coûter cher aux papes lors de la Réforme ; rien ne se perd, que ce soit dans le monde physique ou dans l'histoire, chaque atome de diffamation et d'humiliation est comptabilisé et remisé quelque part), mais il avait soumis les républiques italiennes et simultanément lié les seigneurs allemands à sa couronne par l'habile jeu de dons et d'appropriations qu'il menait à partir de ses territoires souabe et bourguignon.

Mulisch (dans *De Toekomst van Gisteren*, "L'Avenir d'hier*") considère ce Hohenstaufen comme un maillon de la chaîne Hermann – Barberousse – Bismarck – Hitler, mais ce faisant, il instille le XIXe siècle dans le XIIe. On peut aussi tenir le raisonnement inverse. Si l'empereur de Staufen, à l'instar de ses contemporains français

* Livre de réflexion et de fiction où Mulisch médite sur l'histoire allemande et imagine ce qu'eût été une Europe durablement dominée par le nazisme. Publié à Amsterdam en 1972. *(N.d.T.)*

et anglais, les Capets et les Plantagenêts, était parvenu à établir son empire comme une entité durable, l'histoire de l'Allemagne et par là même celle de l'Europe en eût été changée. *Si, eût été* : ces mots stupides ne démontrent rien, comme d'habitude, et pourtant... Après la mort de Barberousse, son héritage fut perdu et depuis cette époque, l'histoire allemande cachait une bombe à fragmentation qui eût suffi à plonger dans la névrose n'importe quel pays. Sous Bismarck, il était trop tard pour parvenir à une unité saine ou organique, car non seulement la guerre de Trente Ans avait définitivement institutionnalisé ce morcellement insensé (et sur les vingt millions d'Allemands, il n'en restait que six !), mais les margraves, les princes-électeurs, les ducs et les rois-enfants avaient pris modèle sur le Roi-Soleil, la bourgeoisie n'avait plus son mot à dire, la Révolution resta dans la rubrique des actualités étrangères, et avec un peu d'insolence, on pourrait dire que la constipation de tous ces siècles ne cesse d'agir qu'aujourd'hui. C'est également pourquoi cette unité actuelle peut se faire sans fanatisme ni fantaisies dynastiques : le moment est tout simplement venu, et le Hohenstaufen prisonnier de sa grotte le comprendra mieux que quiconque, en réaliste politique consommé qu'il était.

Carlyle le dit bien mieux que moi, dans cet anglais dont il ne subsiste rien lorsqu'on essaie de le traduire de nos jours : *No king so furnished out with apparatus and arena, with personal faculty to rule an scene to do it in, has appeared elsewhere.*

Je le visite dans sa grotte, le grand empereur. Au cours de la seconde moitié du siècle dernier, on a découvert par hasard un extraordinaire réseau de grottes sous cette montagne, donnant par là même encore plus d'éclat à la légende. Il devait donc bien se trouver quelque part avec sa barbe toujours rouge qui avait poussé au point de faire neuf fois le tour de la table, entre ses chevaux rêvassant et ses gardes endormis !

Selon les uns, il est réveillé tous les siècles, selon les autres tous les mille ans, par un corbeau qui lui dit si oui ou non, l'unité allemande s'est enfin réalisée ; une autre variante lui donne pour compagnon un nain qui serait envoyé en haut tous les cent ans, afin de voir si les affreux corbeaux de la division allemande volent encore dans le ciel. Le dépliant qu'on me remet au guichet (une légende avec un guichet, voilà qui veut tout dire) vit encore en toute insouciance sa période dialectique et marmotte sa litanie sur la classe dominante des exploiteurs qui a détourné la légende à son propre bénéfice, et l'impérialisme et le totalitarisme allemands et la grande bourgeoisie et tous ces autres personnages méprisables qui ne méritent pas une légende, mais soudain c'est la panique, car le groupe de visiteurs précédent est déjà assez loin dans la grotte, et si je veux la visiter aujourd'hui, c'est ma dernière chance. La demoiselle du guichet ferme sa caisse d'un geste résolu et m'entraîne par la main, dans un tunnel sans fin. Sa *Kollegin* doit encore être dans les parages, nous pouvons la rattraper, elle en est certaine, mais le tunnel s'allonge de plus en plus et tandis que je cours derrière elle dans la faible lumière et nos ombres folles, je me dis que c'est dans de tels moments qu'on devrait être filmé, à cent pieds sous terre, courant derrière une dame inconnue, à la poursuite de sa collègue et de l'ombre d'un empereur millénaire.

Stop, appelons, écho, écho, pas de réponse. Le tunnel aboutit à une grotte de la taille d'une cathédrale, il y flotte une odeur de soufre, de part et d'autre je vois les reflets de mares aux eaux parfaitement lisses.

“Restez ici, me dit, énigmatique, mon Virgile féminin, je vais téléphoner.”

Je reste là, tout seul, ses pas s'évanouissent dans l'obscurité, si l'homme à la barbe rouge

Frédéric Barberousse, Allemagne de l'Est.

avait jamais l'intention de se manifester, ce serait le moment. Blanche-Neige me conviendrait aussi. Des sculptures de calcaire fendent la voûte et pointent vers moi leurs formes capricieuses et agressives, le calcaire est mystérieusement tacheté, et, si j'en vois le fond, l'eau ne révèle point sa profondeur. Je prononce quelques paroles à voix douce et la cathédrale marmonne une réponse. Revoilà alors mon Virgile avec sa lampe, on me mène vers un groupe de damnés écoutant le timbre haut et clair d'une jeune femme qui pépie et clapote à propos de Barberousse, de son chien, de sa table et de la première révolution bourgeoise, car son psaume aussi sent encore la doctrine. Je vois que je ne suis pas seul à l'entendre et que nous remarquons également qu'elle ne l'entend pas elle-même et nous lui pardonnons, parce qu'elle est jeune et que nous nous trouvons sous terre, là où les humains n'ont pas à se trouver, du moins tant qu'ils voient et entendent. Quelques kilomètres seulement séparent ces lieux du monument qu'ont élevé les nationalistes (non pas les innocents libéraux du début du siècle dernier, mais les Prussiens avides qui suivirent) à Frédéric Ier Barberousse, et naturellement, ce monstre a été placé au point le plus haut, là où se dressait autrefois le château, et naturellement aussi juste au-dessus du vieil empereur sombrement installé sur son trône, on a placé une statue équestre de Guillaume Ier flanqué du dieu de la guerre et d'une femme à la voluptueuse poitrine de bronze, alors que la symbolique des oiseaux qui les entourent est empruntée aux pyramides aztèques, et l'on voudrait bien que tout ce bric-à-brac aille rejoindre la foule des statues renversées qui erre tristement sur les routes de l'Europe de l'Est à la recherche d'un dernier refuge. Seul Barberousse pourrait rester, débarrassé du monument qui le domine et à l'intérieur duquel des escaliers à la Esscher permettent de monter jusqu'à la lanterne pour inspecter le paysage, tel un corbeau. Il resterait là, toujours méditant sombrement, exposé aux vents, seul, songeant à cette alchimie arithmétique qui veut que quatre plus deux fassent un, et enfin délivré de son sur-moi wilhelminien qui, emporté sur son cheval, se serait enfoncé dans l'obscurité du monde posthume avec son casque à pointe et tout son attirail.

Mon pèlerinage n'est pas encore arrivé à son terme. Erfurt, la cathédrale et le tableau de la licorne dorée posant ses pattes de bouc dans le giron de la Vierge et ces autres vierges, vierges folles de pierre à l'extérieur avec leur rire redoutable, la Wartburg où les *Burschenschaften** se réunirent en 1817 pour rêver de restauration dans ces lieux restaurés avec nostalgie.

Ici la foule est trop dense ; encadré de gardiens malveillants, on défile devant des mièvreries de mauvais goût et des restes de splendeur, devant des fresques murales de von Schwind qui, dans leur nostalgie fanée du temps passé, ne peuvent rivaliser avec un seul Minnekästchen** médiévale, devant les Cranach et les Dürer, les manuscrits et les éditions originales et le cabinet de Luther, où il traduisit la Bible du grec et jeta son encrier à la tête du diable. A chaque pas de retard que je peux prendre, je sens la haine de ces surveillants de l'art, ils font sonner leurs clés détestables, personne ne parviendra à contrecarrer les gardiens de ce monde dans leur plus haute aspiration : fermer la baraque vingt minutes avant l'heure, aucun Etat d'ouvriers et de paysans n'y pourra rien changer.

Weimar, je suis déjà venu ici cet hiver. Je devrais identifier la ville à Goethe, mais c'est au

* Associations d'étudiants fondées à Iéna en 1815, ayant pour objet de ranimer le sentiment national. *(N.d.T.)*

** "Coffret d'amour", petite boîte ornée de marqueterie ou de figurines en relief. *(N.d.T.)*

lignite que je pense. C'est idiot, bien sûr, car le premier restera et le second finira bien par disparaître, et pourtant l'odeur de ce charbon est inoubliable. Au bout du compte, il me suffira de sentir quelque part le lignite pour penser à Goethe. En RDA, cette odeur est omniprésente, par moments le vent l'apporte de Berlin-Est jusque dans mon appartement, à l'Ouest, mais nulle part elle n'était aussi forte que durant ces jours passés à Weimar et, que cela tienne ou non aux conditions climatiques particulières de ces quelques journées d'hiver, je me souviens de m'être réveillé en pleine nuit dans ma chambre d'hôtel avec l'impression d'étouffer – quelqu'un, pensai-je, avait laissé le gaz ouvert. J'allai à la fenêtre et l'ouvris, mais cela ne fit qu'empirer, même ma salive s'en imprégnait : le gaz emplissait ma bouche. Le lendemain je vis partout dans les rues de grands tas de charbon, directement déversé sur la chaussée, comme le laitier pose ses bouteilles devant la porte. J'étais descendu à *L'Eléphant blanc* de Goethe, mais l'hôtel n'en portait plus que le nom, c'était une construction neuve avec ses chambres chlorotiques, beaucoup trop chères, son restaurant, genre vivier pour gros poissons du parti, tentative avortée de grandeur. Elle paraissait bien triste, la ville, en ces journées d'hiver, on l'eût dite temporairement retirée du monde, vivant sur ses réserves et ses souvenirs, noblesse déchue. Quelques touristes erraient, tout comme moi, à la recherche d'un café, mais il fallait faire la queue pour y être admis, et une fois entré, c'était déjà la fermeture, à sept heures du soir.

Que venais-je faire à Weimar ? Me plonger dans Goethe bien sûr, on n'y échappe pas à moins de jouer la répugnance ou l'ignorance, et je n'y parviens pas. Depuis un an que j'habite ici, on donne ses pièces partout, je le rencontre dans le Harz, dans des citations et des allusions, dans les vies de ses contemporains, il a tissé sa vie presque centenaire avec celles plus courtes de Schiller, de Herder, de Kleist ; à la bibliothèque d'Etat, je me heurte à ses œuvres complètes comme à un massif rocheux. "Goethe est un Apollon de plâtre", aimait à dire Roland Holst* de sa voix à la distinction inimitable, et à l'entendre on aurait cru que le poète allemand avait eu le tort de perdre, un jour, un match de cricket.

Tout change aujourd'hui avec le printemps, la maison du Frauenplan est baignée de soleil, des fenêtres je vois des enfants jouer près de la fontaine. Bibliothèque, statues antiques, bureau, lit de mort, souvenirs, lettres, manuscrits, comme la dernière fois, je me sens pris. Le plus stupéfiant dans cette vie, c'est peut-être sa *réussite*, comme s'il s'agissait aussi d'une œuvre d'art, et qui plus est, d'une œuvre qui dure encore : qu'on le veuille ou non, en déambulant, seul, à travers cette maison, en lisant ses textes et en se disant qu'il a jadis occupé ces appartements, on se sent absorbé par les lieux, il est toujours là. Au dernier moment, avant de partir en voyage, j'ai attrapé au vol quelques essais d'Ortega y Gasset sur Goethe et Kant, et pour ma peine ils font toute ma lecture dans ma chambre de l'éléphant gazé ; l'espagnol se montre récalcitrant sur fond de papier peint allemand et, pour comble, j'ai commencé par le mauvais bout, celui où Ortega se plaint d'avoir passé dix ans dans la prison de Kant, tout en ajoutant que cette prison était aussi sa maison car la philosophie de Kant, il faut l'avouer, dévoile "les secrets décisifs" du monde moderne. Ces dix années n'avaient donc rien d'une punition, mais si, à présent qu'il s'en est libéré, il lui arrive encore de s'intéresser à Kant, il se sent dans la peau de quelqu'un qui, "un jour de fête, va au zoo voir la girafe". J'essaie de m'imaginer Kant en girafe, mais si Kant est une

* Adriaan Roland Holst, poète néerlandais (1888-1986). *(N.d.T.)*

girafe, que dire de Goethe, alors ? Ortega l'appelle le plus douteux de tous les classiques, un classique *en segunda potencia*, "au carré", car Goethe le classique avait déjà lu lui-même tous les classiques, devenant par là le prototype même de l'héritier, de celui qui vit des rentes du passé, de l'administrateur des richesses reçues. Voilà qui est bien plus sévère que "l'Apollon de plâtre", mais Roland Holst s'en est tenu à cette formule incantatoire, tandis qu'Ortega traverse lentement tout le massif rocheux, pèse le pour et le contre, et à la fin du voyage arrive à la conclusion que le maître de Weimar est incontournable ; mais ses contemporains le savaient déjà, et c'est ici – dans cette ville que les événements de l'année écoulée ont soudain rattachée de nouveau à l'Allemagne – que son magnétisme les envoûtait : impossible de visiter sa maison sans ressentir cette force d'attraction. Herder, Schiller, qui passèrent au moins une partie de leur vie ici et de son vivant, durent s'accommoder aussi bien de son ombre puissante que de son rayonnement solaire. Si Kant était une girafe, Goethe était sans doute un mammouth, un exemplaire non éteint de cette espèce, un cas impossible.

La girafe habitait le lointain Königsberg, que l'on appelle aujourd'hui Kaliningrad, mais ses écrits pénétraient profondément dans les esprits weimariens, ce qui éclaire immédiatement leurs différences et du même coup le *débat* continuel qui existait entre eux : tandis que Herder s'oppose à Kant, Schiller se range entièrement à ses idées ("Sans doute aucun mot plus grand n'a jamais été prononcé par un mortel que cette parole de Kant, qui résume en même temps le contenu de toute sa philosophie : «Gouverne-toi par toi-même !»*")

* En allemand dans le texte : *"Es ist gewiss von keinem sterblichen Menschen kein grösseres Wort noch gesprochen worden, als dieses Kantsche, was zugleich der Inhalt seiner ganzen Philosophie ist : Bestimme dich aus dir selbst !" (N.d.T.)*

Goethe et Schiller, Weimar.

et l'astre goethéen ne prend chez Kant que ce qu'il peut utiliser.

Attirance, répulsion, les relations des deux hommes n'étaient pas faciles, la correspondance de Schiller le démontre amplement, tantôt Goethe l'éclairait de sa lumière, tantôt il l'écrasait de son ombre. Le 9 mars 1789, il écrit à Körner : "Cet homme, ce Goethe se trouve de toute façon sur mon chemin, et il me rappelle si souvent que le sort m'a traité durement. Avec quelle facilité son destin a porté son génie* !" La proximité de Goethe lui pesait parfois ("être souvent dans l'entourage de Goethe me rendrait malheureux**), ils critiquaient leur production respective puis débordaient soudain d'admiration mutuelle, ce devait être exaltant et passionnant, et cette émulation prend toute sa dimension si l'on songe à l'aspect qu'offrait Weimar en ce temps-là. Six mille habitants, pas plus, cent trente mille pour tout le duché, le palais d'où régnait l'ami éclairé de Goethe, Charles-Auguste, se dressait au centre d'une ville dont les rues étaient à peine pavées et où, le soir, on rentrait les cochons à l'intérieur de l'enceinte. C'était là le centre de l'Allemagne, de là que se tissaient les liens avec le reste de leur monde, et c'est là que leurs statues sont restées. Le duc et Herder se tiennent seuls, Goethe et Schiller sont réunis devant le théâtre où l'on donna tant de leurs pièces. Ils sont côte à côte, la main du vieux poète repose sur l'épaule du plus jeune, leurs autres mains se partagent une couronne de laurier. Poète et ministre, poète et naturaliste, poète et poète : les deux directeurs d'une centrale nucléaire de l'esprit toujours en activité.

* En allemand dans le texte : *"Dieser Mensch, dieser Goethe ist mir einmal im Wege, und er erinnert mich so oft, dass das Schicksal mich hart behandelt hat. Wie leicht ward sein Genie von seinem Schicksal getragen." (N.d.T.)*

** En allemand dans le texte : *"Oefters um Goethe zu sein, würde mich unglücklich machen." (N.d.T.)*

C'est encore réunis que je les retrouve plus tard dans la crypte de la famille de Saxe-Weimar-Eisenach ; seulement les deux poètes en ont évincé le duc. Ils sont couchés au centre dans leurs cercueils de bronze ; à part moi, deux jeunes filles sont là, elles ont apporté une petite bouteille de champagne et, tenant chacune un gobelet de plastique à la main, boivent à la santé des deux morts, incroyable mais vrai. La piétaille aristocratique repose le long des murs, littéralement mise à l'écart. Bien sûr, Ulbricht et consorts ne voulaient pas se débarrasser du duc – n'était-ce pas un souverain éclairé ? – mais ils n'avaient pas hésité à le reléguer dans l'ombre. Qu'en aurait pensé Goethe ?

Mulisch écrit que "de la sorte, les véritables proportions sont clairement respectées", et il a évidemment raison, néanmoins je pense que le sens de la hiérarchie, chez le ministre et conseiller d'Etat que Goethe était aussi, se fût hérissé devant cette façon de pousser le duc de côté dans son propre mausolée. De plus, ils furent les amis d'une vie entière, jeunes, ils partaient ensemble pour de folles expéditions à cheval, ensemble ils avaient vieilli ; c'est sur la recommandation de Goethe que le souverain aida Schiller comme il avait aidé Herder, et il laissa partir Goethe pour l'Italie lorsque le conflit interne entre le poète et le ministre qui habitaient le même corps fut devenu trop fort.

Les deux jeunes filles se sont maintenant rapprochées des deux cercueils de bronze et se récitent des poèmes, la cérémonie devient par trop intime, si elles n'y prennent garde, ces messieurs vont quitter leur tombeau. D'ailleurs ils ne sont pas morts, car il y a quelques mois, lorsque l'exode hors de la RDA commençait à prendre des proportions inquiétantes, les habitants de Weimar trouvèrent un jour leurs poètes arborant devant le théâtre un grand panneau : *Wir bleiben hier !* "Nous, nous restons !"

C'est dimanche, et le 6 mai. Avec des amis, je suis allé en voiture à Petzow, dans le parc d'une propriété proche de Potsdam. Nous sommes couchés dans l'herbe près du lac, quelqu'un nous lit du Fontane, un bureau de vote a été installé dans la résidence de l'ancien châtelain, c'est le jour des élections*. Fontane décrit le parc où nous nous prélassons, mes amis savourent ce monde retrouvé, Berlin y a gagné cent nouveaux paysages, la cage s'est ouverte pour de bon, dans dix ans personne ne pourra plus imaginer l'ancienne prison. Un citoyen de RDA qui a compris les temps nouveaux vend des gâteaux maison et des anguilles fumées, je m'éloigne du groupe et flâne dans le parc, ses pelouses pleines d'iris et de véroniques au bord de l'eau. Soudain je tombe sur une stèle : "Ici, en 1943, le propriétaire du château a abattu un antifasciste." On n'en dit pas plus. J'essaie de me représenter la scène, mais en vain. Les érables, les marronniers touffus, la luxuriance printanière, les petites barques sur l'eau dormante, les corps étendus dans l'herbe, tous se persuadent d'avoir extirpé le mal, aujourd'hui cette pierre parle dans le vide.

Le soir de ce même dimanche, je vois les ministres des quatre puissances occupantes entamer leur long processus de paix, et cela aussi, mystérieusement, refuse de se concrétiser, on dirait qu'ils exécutent un ballet sans public, une cérémonie de feintes pastichant la réalité, une pantomime, reconnaissable parce qu'elle reproduit des gestes déjà accomplis "en vrai".

12 mai 1990

* Les élections municipales en Allemagne de l'Est. *(N.d.T.)*

14

Les choses se passent ainsi, sans doute, dans le règne animal : les derniers survivants d'une espèce en voie de disparition ne présenteront un aspect différent ni n'afficheront un comportement dissemblable de celui de leurs prédécesseurs – la parade nuptiale des deux derniers représentants de l'espèce se déroulera de la même manière qu'elle se serait déroulée parmi des milliers de leurs congénères…

Je me promène sur Unter den Linden en route vers le musée d'Histoire. D'une rue adjacente me parvient une musique militaire. J'aperçois au loin une foule massée devant le bâtiment de la Hauptwache. J'ai déjà assisté à la relève de la garde mais jusqu'à présent sans musique.

"C'est comme ça une fois par semaine, le mercredi après-midi", me dit l'agent de police chargé de faire dégager le milieu de la chaussée. "D'ailleurs, c'est peut-être même la dernière fois aujourd'hui puisque ça va être supprimé", ajoute-t-il.

Cette semaine encore, j'ai vu dans un livre de Sebastian Haffner sur la Prusse la reproduction d'une peinture de 1813 représentant la même cérémonie. Les soldats portent des bonnets de police ornés de cocardes, des tuniques bleues assez courtes et des pantalons blancs, le public arbore des hauts-de-forme, des robes à crinoline et des ombrelles. Les bâtiments seuls, la Zeughaus et la Hauptwache, sont les mêmes. Alors que des porte-drapeau arrivent des rues perpendiculaires et, tel un long mille-pattes, bifurquent dans ma direction, je me prends à penser à cette phrase du "Prière d'insérer" du livre de Haffner : "L'histoire de la Prusse est une histoire intéressante, même à l'heure actuelle et justement à l'heure actuelle, car nous en connaissons la fin. Elle se met lentement en marche, connaît une longue évolution et s'arrête lentement, en une longue mort. Mais entre ces deux termes s'inscrit un grand drame, ou si l'on veut une terrible tragédie : celle de la «Raison pure» de l'Etat*."

Cette tragédie s'est inscrite naturellement dans le pourrissement ultérieur, celui où les gens, par leur faiblesse et leur vanité, corrompent la pureté du jeu d'échecs de la raison, troublent la clarté du dessin. Tout avait si bien commencé, on aurait pu croire que tout avait été réglé par un ordinateur : depuis la guerre de Trente Ans, les Hohenzollern se succédaient à l'échiquier, posaient une pièce et il semblait que tous ces coups découlaient les uns des autres, qu'une partie de champions se jouait de génération en génération. C'est devenu une habitude que de faire l'amalgame entre Prussien et Allemand et d'en dépeindre l'aspect militaire comme une chose dangereuse ou risible, ou de préférence les deux à la fois, sans qu'un tel raccourci puisse être d'une grande utilité pour qui est à la recherche des racines de l'histoire de l'Allemagne moderne. Comment se fait-il qu'après la paix de Münster la Prusse ait pu établir sa suprématie sur tous les autres Etats allemands ?

* En allemand dans le texte : *"Die preussische Geschichte ist eine interessante Geschichte, auch heute noch und gerade heute, da wir ihr Ende kennen. Sie läuft langsam an, mit einem langen Werden, und sie hört langsam auf, mit einem langen Sterben. Dazwischen aber liegt ein grosses Drama ; wenn man will, ein grosse Tragödie – die Tragödie der reine Staatsvernunft." (N.d.T.)*

Qu'avait-elle de plus qu'eux ? Tous les autres Etats étaient gouvernés de manière absolue, presque partout l'initiative et le commerce étaient entravés dans un réseau de frontières, d'impôts, d'octrois et de décrets locaux, partout régnaient des princes secondés par des castes de militaires et de fonctionnaires, l'argent nécessaire à l'appareil du pouvoir étant fourni par la paysannerie, qui demeurait sur la terre seigneuriale et vivait démunie de tout droit – cette calcification de la société aurait d'ailleurs pu durer encore longtemps si l'équilibre européen n'avait été modifié. En ce sens, ce changement préfigure parfaitement les événements auxquels nous assistons à l'heure actuelle : sans Gorbatchev et tout ce qu'il a occasionné, la RDA aurait pu continuer pendant des années à dépérir sous la présidence de Honecker jusqu'à finir en une sorte de tas de cendres albanais.

Qu'est-ce qui a fait de la Prusse une exception ? Quelques hommes hors du commun aux méthodes différentes de celles des autres potentats allemands qui, par exemple en ce qui concerne l'armée, ne voulaient pas devoir dépendre de mercenaires : l'armée de Frédéric-Guillaume Ier se composait de soldats issus de la population dans des proportions inégalées par les autres pays d'Europe, et cette armée, qui plus est, était entretenue sur les propres deniers de l'Etat et non plus sur le dos des puissances étrangères. Naturellement, il fallait faire preuve d'un sens fanatique de l'épargne et de cette discipline devenue proverbiale, tour à tour admirée et décriée. "Je suis le ministre des Finances du roi de Prusse", disait Frédéric-Guillaume Ier en parlant de lui-même. Le souverain serviteur de l'Etat est un concept prussien qui, aux yeux des gens, soulignait encore plus le côté arbitraire et inconsidéré des dépenses des autres princes allemands. Bien entendu, une gestion comme celle-ci ne se conçoit que si le serviteur de l'Etat est un serviteur hors du commun ; après Frédéric le Grand, cette mécanique bien huilée tomba dans des mains moins habiles. Cet héritage personnel connut une grande longévité : quand le pouvoir, de ces mains malhabiles, finit par tomber dans des mains criminelles, celles-ci purent encore quelque temps tabler sur ce capital hérité de sobriété, de discipline, de fidélité à l'Etat jusqu'à ce qu'une partie de la caste préposée à ce service s'aperçût qu'elle avait été trompée (ou plutôt qu'elle s'était trompée elle-même), mais il était trop tard et aucun Stauffenberg n'y pouvait plus rien changer. Et une fois de plus, un nouveau régime hérita à son tour de cette mécanique devenue totalement obsolète, mais que je regarde néanmoins parader devant moi. L'ayant déjà décrite, je n'estime pas nécessaire de le refaire, même si à présent il y a la musique et même si c'est peut-être la dernière fois. Naturellement, le but recherché était la déshumanisation, l'abolition temporaire de la personne. Le succès est complet car ce qui évolue devant moi est une chose composée d'humains, une chose à laquelle, comme toujours, je suis sensible, ce qui, comme toujours, me fait me mépriser alors que je ferais mieux d'utiliser mon temps à analyser ce qu'il faut bien appeler un drôle de frisson. Vraiment, n'ayant rien à voir avec tout ce qui est militaire, je me demande ce qui peut bien m'arriver. Je regarde les gens autour de moi : ils viennent de rire, quelqu'un a dit : *Alles Scheisse*, "de la merde, tout ça !", et tout le monde a fait chorus et maintenant, ils regardent en silence ces visages qui ne nous regardent pas. Est-ce là le travail de cette "réduction" : est-il possible de dépersonnaliser un être au point d'en faire un élément d'une mécanique ? De l'autre côté de la rue, deux soldats noirs américains en uniforme assistent à la scène. Au début ils ont filmé mais la réalité l'emporte maintenant sur la possibilité future de la réduire à une image, les caméras sont baissées, l'objectif incliné vers le sol, et je m'aperçois que les Américains voient encore autre chose que moi. Mais quoi ?

La colonne se tient maintenant face au bâtiment de la Hauptwache et je comprends qu'elle vient effectuer la relève des deux soldats qui, immobiles, ont monté la garde. Ce qui est mystérieux, c'est que les deux factionnaires présents vont bientôt se fondre au milieu des autres soldats et que leurs deux remplaçants sont pour l'instant indiscernables. Séduction, danse, voilà à quoi cela ressemble ; la musique, les notes aiguës des flûtes évoquent les oiseaux des tropiques. Et puis les voix, pas tellement des cris ou des hurlements, mais des bribes de mots comme passés à la râpe, comme déchirés dans l'air chaud de l'après-midi. Un ordre, et soudainement, les deux soldats qui sont près des colonnes se mettent en mouvement, d'un pas bizarrement lent, pour une descente – une marche, puis une encore – jusqu'aux deux autres avec lesquels ils tournent, idiot moment d'intimité, sorte de parade nuptiale, jusqu'à ce que les uns soient devenus les autres, qu'une substitution ait eu lieu sans qu'apparaisse la différence. Puis cet horrible pas reprend sans qu'aucune des bottes levées s'inquiète de savoir si c'est la dernière fois, le rituel s'accomplit de lui-même, il est dégagé non seulement des hommes, mais aussi de sa propre signification et de son histoire, il a fait son temps. S'il a servi un jour à la représentation de l'Etat et contribué par son apparence à en assurer la création, désormais il a vécu, et il scelle une dernière fois le sort de cet Etat et de son ultime avatar, la république qui a dû s'approprier ce rituel pour donner le change à sa vacuité ; le mot est à prendre littéralement : un Etat sans peuple est un Etat sans substance – leçon du roi de Sans-Souci que ni les Pieck, ni les Ulbricht, ni les Honecker n'ont comprise.

Leur héritage, succession pathétique, se trouve à cent mètres de là : le musée destiné à asseoir pour toujours leur gloire ne sert plus à rien, sinon à faire rire d'eux et à les faire honnir. C'est l'objet d'une exposition spéciale : *Tschüs-SED,* "adieu SED", où les banderoles de la grande manifestation sont suspendues et drapées sur ce qui, jusqu'alors, était mis en montre. L'effet en est saisissant : les mannequins destinés à représenter différents corps d'armée tiennent maintenant dans les mains des affiches aux citations révolutionnaires, de superbes statistiques agricoles sont à moitié cachées par des slogans ironiques ou désespérés, et tandis que l'on se promène au milieu de ces phrases célèbres et dans notre passé immédiat, les voix de la première heure résonnent encore, les voix d'une histoire qui s'est emballée, dépassée par son propre rythme et à laquelle des événements vieux de six mois donnent un air très ancien, l'air d'une chose si lointaine qu'on s'étonne d'en avoir été les témoins.

L'effet du temps est miraculeux : la vidéo de la salle d'exposition présente des images qu'il y a six mois je voyais pour la première fois, mais la foule sur l'Alexanderplatz est une foule *ancienne*, à l'air historique, non qu'on ait pu la voir si souvent depuis, mais parce qu'on la verra encore très souvent. Sur le visage des gens, se lit qu'ils ne savent pas encore que cette semaine est signé le traité d'Etat, que l'orateur barbu va devenir ministre des Affaires étrangères et qu'ils ignorent le prolongement pratique de leurs idées et de leur révolution. Lorsqu'il y a six mois, les mêmes banderoles étaient présentées dans un musée de Berlin-Ouest*, cela m'avait semblé une falsification. Le livre de l'histoire ne peut s'écrire au moment même où elle se fait, il faut qu'entre les deux moments s'intercale un

* Voir chapitre 7, page 99. *(N.d.T.)*

espace, ne serait-ce qu'un peu d'air, sinon, on tombe dans la coquetterie. Ici, dans ce contexte ironique de réalisme socialiste, de fanfaronnade nationaliste et de propagande, le procédé convainc ; mais là où l'impression est terrible, c'est dans la salle suivante, où rien n'a été transformé et où la seule forme d'ironie découle de l'absence de tout commentaire.

Dans les différentes salles consacrées à l'Etat ouvrier et paysan de 1946 à 1961, personne n'a dérangé le moindre marteau ni le moindre compas et je me souviens que lors de la visite que j'y avais faite en décembre j'avais lu, écrit par quelqu'un sur le livre d'or, qu'il serait bien que cette exposition reste à jamais en place, tel un musée dans le musée, une caméra dans la caméra. Ce conseil a donc été suivi et l'on peut voir encore ce que l'ancien régime désirait montrer : leur définition de l'ennemi, leurs prestations hors pair, le culte de leur personnalité, leur dirigisme héroïque, le tout matérialisé par les lunettes, les outils et le portefeuille d'Otto Grotewohl, le marteau, le mètre et la pince de Wilhelm Pieck, objets vénérés car ils sont la preuve d'une noble origine ouvrière, toute une généalogie de choses un peu bébêtes, qui tirent de leur présence dans une vitrine une singulière plus-value, comme si on les avait exhumées d'une tombe préhistorique. Il ne manque plus qu'un squelette inconnu. Ces ouvriers-là ne voulaient pas faire partie des anonymes de l'histoire, ils voulaient passer à la postérité et si personne ne s'en souciait, ils s'en chargeaient eux-mêmes : “Le gouvernement de la RDA, en reconnaissance particulière de *mes* mérites politiques, culturels et économiques insignes dans l'édification du socialisme, *m*'a prié d'être le premier à porter l'ordre de Karl Marx. Après examen de la recommandation du gouvernement de la RDA, j'ai décidé d'accepter l'ordre de Karl Marx le jour du

135e anniversaire de la naissance de celui-ci, le 5 mai 1953. Wilhelm Pieck*."

Plus loin on peut en apprendre plus long encore, en particulier sur la situation misérable de l'autre Allemagne, l'occidentale de l'époque. Dans son premier Bundestag siégeaient soixante directeurs d'usine ou de banque, cent trente-deux hauts fonctionnaires, trente-cinq grands exploitants agricoles, cinq grands propriétaires terriens, dix-neuf gros négociants, douze exploitants agricoles moyens, dix-huit ouvriers, quatre travailleurs manuels, trente intellectuels, vingt femmes au foyer et cinq "autres". Une contrebasse avec des bas – je veux dire un instrument de musique dont la caisse déborde de bas de nylon – est censée témoigner de l'immoralité des "spéculateurs" ; "la terre des maîtres doit être aux paysans", et sur une grande photo, Aneurin Bevan se frotte les mains au moment de la création, inspirée par les Etats-Unis, de l'Etat séparé ouest-allemand : "Par le peuple, avec le peuple, pour le peuple", mais le peuple en avait assez, le jour même où cent quatre-vingt-quatre personnes fuyaient, via la Hongrie, vers l'Allemagne de l'Ouest, un seul numéro de *Neues Deutschland* comptait vingt-huit clichés d'Erich Honecker. De grands rêves ne sauraient connaître de fin plus misérable, et qui se délecte de la situation n'a rien compris à l'étendue du désastre. Mais à l'inverse, pour prétendre pleurer la disparition de cette république, il faut être doué d'un bien grand mépris pour l'humanité. L'éventuelle réunification de l'Allemagne semble plus passionner

* En allemand dans le texte : *"Die Regierung der DDR hat mich, in hohen Anerkennung meiner hervorragenden politischen, kulturellen und wirtschaftlichen Verdienste um den Aufbau des Sozialismus gebeten den Karl Marx Orden als Erste anzulegen. Ich habe mich nach Ueberprüfung der Empfehlung der Regierung der DDR entschlossen, den Karl Marx Orden anzunehmen am 135sten Geburtstag Karl Marx, 5. 5. 1953. Wilhelm Pieck." (N.d.T.)*

certains intellectuels allemands que l'idée que des millions de leurs compatriotes sont enfin libérés d'un système totalitaire. Il y a un côté sordide dans l'évocation de certains spectres, dans les insinuations sur ces gens à peine rendus à la liberté, pour la seule raison qu'ils préfèrent les bananes capitalistes et ont tendance à apprécier des choses qui depuis des dizaines d'années sont pour nous monnaie courante. A en croire ces puristes stériles, qui n'ont à offrir que leur stérilité, les citoyens de RDA devraient repartir aussitôt à la poursuite d'une nouvelle utopie, comme s'ils n'avaient pas soupé de la précédente. Et pour qui au juste ? Pour faire plaisir à ceux qui, en Allemagne de l'Ouest, restent sur la touche et vont répétant que le monde pue, mais ne veulent pas sentir la puanteur qui continue à émaner de ce paradis en décomposition ? Une utopie trahie, usée, gâchée n'est pas belle à voir car elle suinte le mensonge par tous les bouts, elle est une lèpre qui continuera à s'attaquer aux années à venir et dont on entendra encore parler. Quarante ans après, l'Europe n'en a pas encore fini avec le fascisme et il en sera de même ici puisque ce n'est pas avec un, mais avec deux passés différents qu'il faudra compter, celui des années 1933 à 1945, et celui qui va de 1945 à nos jours. Selon certains, le traité d'Etat s'est fait trop rapidement, dans une hâte presque malsaine. Je ne partage pas cette opinion. Un ralentissement du processus n'aurait rien changé, si ce n'est qu'il eût envenimé les dissonances et les conflits.

Les problèmes existants ne peuvent être effacés et quel que soit l'acharnement des affrontements qu'ils suscitent, il vaut mieux qu'ils se déroulent dans un cadre acceptable pour la majorité, de sorte que les garde-fous tiennent. Quand on pense à la fange, aux ressentiments, à la colère et à l'angoisse qu'une gestion frileuse et hésitante aurait pu entraîner, on ne peut qu'approuver le gouvernement pour la rapidité de son action. Qu'une telle décision ait eu pour fondement des motifs électoraux, c'est un fait, mais ce sont les mêmes motifs qui poussent l'opposition à mettre un frein au processus, ce qui me paraît beaucoup plus dangereux. Le "je vous avais prévenus" que Lafontaine semble s'être peint sur le visage ne procède pas du talent visionnaire de l'homme d'Etat, il est la menue monnaie de la politique partisane, qui peut toujours servir en cas de montée des rancœurs à l'Ouest et de la peur à l'Est : rancœurs à la pensée de l'argent qu'il va falloir débourser au début, peur de perdre sécurité et emploi. Non, les foules qui l'année dernière manifestaient à Dresde et à Leipzig ne songeaient pas à tout cela, elles étaient l'expression d'une tempête et, celle-ci retombée, elles ressemblent aujourd'hui à ce en quoi elles se sont transformées de leur propre volonté : à des électeurs dans un bureau de vote, avec autant d'intérêts et d'aspirations que d'individus, et leurs élus, eux, ressemblent à des hommes politiques occupés à signer un traité d'Etat. Et c'est ainsi que nous les voyons, l'homme grand et fort que nous connaissons de longue date et qui, au dire du *Spiegel*, vit "dans la griserie de la vitesse", et l'autre, plus petit et dont nous n'avions jamais entendu parler il y a seulement quelques mois, l'homme à l'air circonspect et au sourire rentré. Il est un peu trop facile de soutenir que leur physique reflète l'Allemagne nouvelle, et pourtant : la CDU de l'Est n'est pas celle de l'Ouest, on l'assimile en tout cas beaucoup moins à la propriété et au conservatisme – là où il n'y a pas (ou pas encore) grand-chose à posséder, on n'a guère lieu d'être conservateur. Numériquement, la CDU de l'Est représentera une minorité au sein du futur parti unifié, et il en sera de même des socialistes est-allemands. Cependant, ces deux grands partis nationaux en sortiront changés, car, si forte que soit la supériorité politique et financière de l'Ouest, le mouvement qui va de l'Est vers l'Ouest demeure une inconnue, et c'est là une raison de plus de ne pas retarder l'unification véritable pour des considérations partisanes. Les Allemands, et avec eux tous les Européens, ont envie d'y voir clair : il y a toujours près de quatre cent mille soldats russes stationnés en RDA, et ils ne sont pas là pour rien. Le *glacis* auquel Golo Mann faisait allusion il y a quelques mois est intact, tel un rappel des anciennes lois de l'équilibre et des vagues successives d'attirance et d'inimitié entre l'Allemagne et l'Est, qui ont si souvent, par le passé, déterminé l'humeur du moment. Pourquoi cela aurait-il soudain disparu ?

Derrière la maison de Brecht, sur la Chausséestrasse, se trouve un petit cimetière français. Il me semble que c'est là que Brecht est enterré, et j'y entre par un portail de fer forgé coupant le mur de pierre. Des frondaisons, voilà le mot, on dirait un cimetière de village en Ile-de-France, avec de vieux arbres, des bancs de bois écroulés, des tombes à moitié en ruine, des ombres où tremble parfois un rayon de soleil : la paix. J'y fais un tour, soudain retranché du monde, je remarque les mousses qui verdissent les sépultures, les noms chantants de huguenots disparus depuis longtemps, les lis, les hortensias. Au voisinage de la mort, l'été paraît toujours plus prononcé, plus plein, comme s'il s'y plaisait mieux que chez les vivants. Mais Brecht n'est pas là, il repose de l'autre côté du mur, près de Fichte et de Hegel, et non loin de deux comtesses hollandaises de la famille Schimmelpenninck, mortes avant la trentaine. Là aussi règnent l'ombre et le soleil, et l'immense silence qui semble ne rien vouloir laisser passer de la rumeur de la ville. Un panneau indique l'emplacement des tombes des célébrités, Brecht occupe la première, avec Hélène Weigel. La tombe est barbouillée d'une étoile juive et d'inscriptions injurieuses, toujours les mêmes, mais un haut-le-corps m'est épargné car je les ai déjà vues ce matin dans le journal. Je demande au gardien pourquoi on ne les efface pas et il répond que c'est à cause de la manifestation prévue pour samedi. Les manifestants, je les vois plus tard à la télévision, des visages d'artistes attristés, aucun représentant du gouvernement. Ils sont odieux, ces mots et ces signes griffonnés en noir, message anonyme des terres du mal, preuve que la source de l'horreur ne tarit jamais, ni ici ni ailleurs. Et plus loin, les tombes de Fichte, de Hegel avec leurs épouses, *quiet graves, unquiet thoughts.*

J'aurais beau poser cent questions aux buissons et au granit, ils ne me répondraient pas. Tout a déjà été dit et chacun en a fait ce que bon lui semblait, les idées et les opinions de ces deux hommes se sont infiltrées dans tous les esprits, éclairés ou pervertis. Les discours enflammés de Fichte sur l'Etat-nation, l'éternel et terrible "esprit du monde" de Hegel, celui qui plonge l'humanité anonyme dans un océan de conflits et l'entraîne vers la réconciliation de toutes les antithèses, l'instant religieux de la connaissance absolue, les horreurs les plus indicibles finalement légitimées par une fin sacrée et, comme dans toute religion, invisible. "Les époques heureuses sont les pages blanches de l'histoire du monde", la personne éphémère, porteuse de son insignifiante destinée, prisonnière de l'énigmatique machinerie de cet Esprit qui fuit sans cesse à l'horizon, l'individu qui se livre corps, nom et âme à l'Etat, et l'Etat lui-même qui n'a droit à l'existence que s'il est assez fort pour se maintenir. Alors, la terrible rencontre de Cortés et de Montezuma n'est plus le fait d'un hasard absurde, mais d'une sorte de "bon droit", puisque dans un tel système, tout est logique et tout trouve sa place, il représente à la fois une forme de mépris de l'homme et de consolation – celle-ci étant surtout réservée à son inventeur. Face à cet insupportable optimisme, le pessimisme de Schopenhauer apporte une bouffée d'air frais, pour la simple raison que le mal n'y trouve aucun sens, qu'il y est démasqué en tant que tel et non travesti en passage obligé sur la route de buts plus élevés. Chez Hegel, Auschwitz est un morceau indigeste, de même que pour le christianisme. Chez Schopenhauer, en revanche, Auschwitz reste ce qu'il est : la manifestation dans le monde d'un mal exercé par l'homme, venu des abysses de l'homme et dirigé contre l'homme. Toute allusion à une éventuelle fonction de cette souffrance n'est que blasphème.

Le granit ne répond rien. Il aurait mieux fait de ne pas écrire et de ne pas penser, songé-je, mais comme j'ai moi-même quelque peine à penser, qu'au même moment j'entends quelqu'un ratisser l'allée et que je perçois dans ce bruit une sorte de musique, grêle et métallique mais non dénuée de charme, une touche de mon clavier saute et la mémoire de mon ordinateur intérieur me présente l'image de Schopenhauer, à Francfort, jouant du Rossini à la flûte pendant une heure (et probablement mal) avant d'aller engloutir son double repas à l'auberge *Frankfurter Hof*. Le monde est mauvais, la page de ce matin est écrite, le petit caniche dort et le célibataire joue dans sa chambre solitaire les mélodies du compositeur italien qui mettait du foie gras sur son bifteck, l'histoire du hasard et de la nécessité s'écrit elle-même tout en se laissant décrire.

Lorsque, de la tombe de Hegel, je me retourne pour regarder dans la direction de Brecht, je vois quelqu'un, reflet de mon image, en train d'écrire. Dans les tombes, il n'y a rien et nous le savons – et puisque, s'il en est ainsi, nous n'avons aucune raison d'aller sur les tombes, mieux vaut penser qu'elles recèlent quelque chose, mais quoi ? Leur œuvre, graffiti dont ils ont griffé le monde jusqu'à le rendre différent ? Soudain, j'ai le sentiment que tous ces mots se trouvent littéralement sous mes pieds, tel un gigantesque réseau de structures entrelacées, de galeries remplies de chansons et de paragraphes, les mots infiniment plus accessibles de l'un dansant autour du système granitique de l'autre, double royaume qui se prolonge sous les autres tombes et sur lequel Surabaya Johnny règne de concert avec l'esprit du monde, tandis que Macky Messer, au dancing de Bill à Bilbao, danse en tenant la phénoménologie dans ses bras et que le vaisseau à huit voiles enlève la dialectique vers une côte où, pour la dernière fois, des soldats effectuent la relève d'une garde sur la cadence de l'Etat.

2 juin 1990

15

Journaux, voix, notes, cette triade a pris possession de ma maison. Le séjour berlinois touche à sa fin, il aura duré un an et demi, l'appartement est démantelé, je devrais, dans un souci de symétrie, descendre les trois étages à reculons : pour recréer l'instant de l'arrivée, son innocence. On a obtenu une bourse pour Berlin, on a l'intention de commencer un nouveau livre, on est rattrapé par les événements et on se retrouve soudain au centre d'un tourbillon. C'est ce qui se passe ici, c'est ce qui m'est arrivé, mes livres et mes coupures de presse disparaissent dans des cartons, les voix de la radio et de la télévision continuent à me prendre à part, je continue à lire les journaux, mais la séparation est irrévocable, je me retire en gardant le sentiment que ce départ est impossible, que je suis désormais trop imbriqué dans ces événements pour pouvoir m'en détacher, qu'il me faut continuer à observer et à écrire. Certes, ce qui se passera ici durant les prochaines années me passionnera toujours, mais les absents sont des exclus, ils sont éliminés de la discussion permanente, des options, des possibilités sans cesse redistribuées, des souvenirs, des espérances. Je suis devenu partie prenante sans cesser d'être un étranger, je n'ai jamais pu oublier que ce pays n'est pas le mien, et pourtant j'en ai partagé les émotions.

Cette abstraction qu'on appelle l'Histoire ne se dévoile jamais mieux que dans les moments de grande effervescence, et ceux-ci n'ont pas manqué. Mes voyages et mes lectures dans cette partie de l'Allemagne m'ont plus que jamais convaincu que l'Histoire est un continuum, une toile, un réseau de ramifications, un tissu indémaillable de causes, de hasards et d'intentions. Aussi les adieux perdent-ils un peu de leur conviction, car je sais que ce pays ne me lâchera plus. Options et projections ne s'étendent pas seulement au présent immédiat ni au futur invisible, les incertitudes tentent aussi de s'incruster dans le passé : dans *Die Zeit* du 15 juin, Rolf Steiniger passe en revue et discute les différentes possibilités d'unification qui se sont déjà présentées dans le passé, depuis la fin de la guerre, les propositions de Staline, les idées de Churchill, les refus d'Adenauer, et tous ces mouvements contraires étaient, comme aujourd'hui, plus ou moins déterminés par la peur : quel genre de pays est l'Allemagne, que va-t-elle faire, que veut-elle, avec qui se liera-t-elle, qui attirera-t-elle dans son orbite ? La peur que les Allemands inspirent aux Allemands : était-ce l'une des raisons qui amenèrent Adenauer, en 1955, à abandonner à son sort l'autre partie de sa nation ? Cette année-là, à Genève, Boulganine et Khrouchtchev firent savoir à Eden qu'ils étaient prêts à discuter de la réunification allemande, et en novembre de la même année les Anglais prirent une nouvelle initiative (après une première tentative de Churchill en 1952) pour relancer les négociations avec la Russie. Conditions posées : des élections libres dans l'ensemble de l'Allemagne, et liberté d'action en politique intérieure et étrangère pour l'Allemagne unifiée. Mais cette fois encore, Adenauer refusa, de même qu'en 1952, il avait repoussé la proposition de Staline : une Allemagne unifiée dotée d'une armée propre, mais militairement neutre. Pourquoi ce refus du chancelier ? Il s'en expliquait dans un message secret adressé au Foreign Office : "Il n'avait pas confiance dans le peuple allemand et craignait qu'après lui, un nouveau gouvernement allemand ne conclût avec les Soviétiques un accord qui se révélerait contraire aux intérêts de l'Allemagne. C'est pourquoi l'intégration de l'Allemagne de l'Ouest dans l'Alliance atlantique primait sur la réunification."

La phrase s'impose avec la simplicité des mots du journalisme, comme si l'autre terme de l'alternative était clair : une autre Allemagne, une autre histoire, alors que celle-ci est impensable parce qu'elle n'a pas été. Mais comment me sentirais-je, à la lecture de ces lignes, si j'étais un Allemand de l'Est ? Il faut d'abord se demander quel genre d'Allemand de l'Est je serais, car il s'en trouve de toutes sortes et de toutes nuances. L'idée que ces quarante années de système clos n'étaient peut-être pas inévitables me remplirait de mélancolie, je pense, ou d'amertume, ou de rancœur, selon le cas. Ou bien je classerais ces "révélations" comme une vaine spéculation de plus parmi toutes celles dont la presse occidentale submerge désormais ma vie et qui ne me sont d'aucun secours dans mes vrais problèmes : l'argent, l'emploi, l'avenir, les changements de mentalité et la résistance qu'ils suscitent, la contrainte d'une autre société qui s'immisce chaque jour plus avant dans ma vie. C'est peut-être justement pour cette raison – la force avec laquelle ce nouveau monde fond sur moi – que l'idée de tromperie, de trahison s'incrusterait tout de même quelque part en moi pour en ressortir un jour, à un moment encore imprévisible aujourd'hui ; elle viendrait s'ajouter à l'idée que l'autre partie de l'Allemagne n'a que mépris pour la mienne, à la vision d'une pauvreté et d'un délabrement patents, la conscience que cette partie qui est la mienne, après la guerre, n'a jamais connu de liberté, que les "réparations" financières et une occupation permanente lui ont fait payer pour l'autre Allemagne, cette Allemagne qui, avec sa richesse et sa toute-puissance, entre aujourd'hui comme en pays conquis tout en protestant bruyamment contre l'argent qu'il va falloir débourser les prochaines années – pourtant, durant tout ce temps, n'avons-nous pas payé avec nos dettes celles de ces ingrats qui continuent à penser : "Bien fait pour eux", quand ils ne le disent pas tout haut ?

Bientôt il n'y aura plus de mur, bientôt il n'y aura qu'un seul pays. Mais même où il aura disparu, le mur sera toujours là, la lente imbrication mutuelle des deux Allemagnes sera, dans son inertie, bien moins visible que les signes extérieurs de l'unité : les mêmes billets de banque, les mêmes publicités, les mêmes panneaux de signalisation, les mêmes enseignes, les mêmes uniformes. L'invisible est dans la pensée, dans l'escamotage de cette protection qui était l'une des conséquences de l'isolement. Le refus de l'Ouest est aussi réel que l'aversion pour l'Est, celui qui, dans un an, prendra l'autoroute de Berlin en passant par Magdebourg sentira son système intellectuel affecté par une sensation mystérieuse, l'absence d'une frontière, un souffle de pensées anciennes, il entrera dans un pays disparu et pourtant présent, un Etat insivible aux habitants visibles, un mode de pensée qui ne s'abrogera pas par décret, mais s'effacera par une longue usure.

Il y a quelques semaines, j'étais à Leipzig. Je devais y faire une conférence devant un groupe d'étudiants en néerlandais. Leur enseignante m'avait prévenu : "Ne vous faites pas d'illusions sur l'entretien qui suivra, ils auront sûrement beaucoup de questions à poser, mais ils n'oseront pas le faire, ici, on n'a pas l'habitude de se manifester individuellement en public." C'était vrai. La classe – car c'en était une – était fort sympathique. Des jeunes femmes, pour la plupart, qui s'étaient apparemment bien préparées. Leurs réactions me prouvaient qu'elles écoutaient attentivement, mais de questions, point, et soudain j'eus l'impression d'être un corps étranger, ce que les Japonais nomment un *gajin*, une "personne extérieure". On aurait dit qu'une rosée les recouvrait, et si j'essaie de préciser ce que j'entends par là, je ne vois pas d'autre explication que l'innocence, tout en sachant qu'un autre parlerait de naïveté. Toutes, elles avaient grandi dans un monde, et moi dans un autre. Plus tard dans la soirée, au café, les langues allaient se délier : l'appartenance à la FDJ*, les interminables cours de marxisme-léninisme, les stages de langue en Hollande ou en Flandre, dont elles-mêmes ou leurs professeurs s'étaient vu refuser l'accès par les autorités sans aucune explication – et pourtant elles étaient encore là comme sous une cloche de verre, leurs questions inexprimées suspendues au-dessus de leurs têtes, ancrées dans un monde dont les mots clés n'avaient aucune valeur pour moi et cela aussi, je le comprenais, exclurait plus tard les autres, ceux de l'Ouest : ces femmes, qui ressemblaient tant à de toutes jeunes filles, avaient grandi dans un jardin clos, et qui ne parlait pas la langue de ce jardin était du même coup l'étranger.

Que voulaient-elles faire plus tard ? Elles ne le savaient pas, ou plus exactement elles préféraient ne pas le savoir parce que c'était peut-être irréalisable, parce que l'incertitude était partout, parce que nul ne savait ce qui allait arriver, ni elles, ni leurs parents, ni leurs professeurs. Faire des voyages à l'étranger, c'était désormais de l'ordre du possible, mais il y fallait de l'argent, et comment en gagner quand il n'y avait pas de travail ? L'une de ces femmes que j'appelais jeunes filles avait déjà deux enfants. Elle voulait présenter une

* Les Jeunesses communistes d'Allemagne de l'Est. *(N.d.T.)*

thèse sur la littérature des exilés allemands aux Pays-Bas au temps du nazisme, mais pour réaliser son projet, il faudrait bien qu'elle passe au moins un moment en Hollande, et comment s'y prendre ? Une seule fois, ces derniers mois, elle était allée à Berlin. Ce qu'elle avait éprouvé ? De la colère. Elle était allée près du mur, à l'emplacement d'une des premières brèches – c'était en novembre – et soudain elle avait compris, "dans un éclair", que la prison où elle avait vécu n'était pas faite de pierres, mais de gens. Pour connaître leur monde, il faut lire les premiers chapitres de *Begleitumstände*, "Circonstances atténuantes", les *Frankfurter Vorlesungen*, "Conférences francfortoises" d'Uwe Johnson. Toujours, la compréhension de ce pays s'assimilera à un retour en arrière guidé par un cordon de mots. Ils vous entraînent dans le passé pour mieux éclairer le présent. Double fonction de la littérature : celle de la subversivité pendant les événements, celle du témoignage ensuite. La lucidité du rebelle met à nu le raffinement obtus du système. Un raffinement obtus, est-ce possible ? Oui, lorsqu'un système sait faire pénétrer sa lourdeur intellectuelle dans tous les recoins de l'Etat avec un grand raffinement politique, lorsqu'il sait constamment où il doit être, c'est-à-dire autour des récalcitrants. Voilà de quoi il souffre, l'Etat totalitaire, l'opinion contraire représente un vide dont il a horreur, la pensée subversive est ce qui manque à sa plénitude, la brèche qu'il doit combler par sa puissance, car dès qu'il est ouvert, il est vulnérable.

Désormais, de nouvelles images se mêlent aux anciennes : à la télévision, je vois une haute grue soulever dans les airs la baraque de bois de Checkpoint Charlie, où je suis passé si souvent. Une lévitation, une séance de spiritisme – on dirait un instant que le bâtiment monte au ciel. Une maison suspendue dans les airs a quelque chose de très étonnant, on voit quelle construction dérisoire c'était. Les badauds contemplent l'espace ainsi libéré, l'espace vide, comme des enfants un tour de passe-passe : il y est, il n'y est plus. On escamote beaucoup, ces jours-ci, la ville est peuplée d'escamoteurs, murs et miradors disparaissent, se dissolvent dans l'atmosphère, l'ancien se mue en *fata morgana*, les gens passent cette muraille comme si c'était du vent, ce qui est là n'y est déjà plus.

Je sais qu'il me faut quitter ce pays en fusion, mais pour l'instant j'en suis incapable, il y a trop d'*unfinished business*, trop d'images et de phrases qui s'accrochent à mes pensées. Johann Georg Hamann voyait dans l'histoire les "chiffres, les signes cachés, les hiéroglyphes de Dieu". Viennent-ils de Dieu, je l'ignore, mais au bout de tant de mois je me sens empêtré dans tous ces signes et ce sont, comme à Dresde ou à Potsdam, autant de cicatrices sur un organisme vivant. L'Allemagne est inachevée, elle remonte à la plus haute antiquité mais on continue à la faire et cette dualité la rend fascinante ; je prête l'oreille aux autres voix. Herder parle de nations "qui présentent les caractères de personnes", et si on le suit dans cette voie, on pourrait dire que la personnalité de la France et de l'Angleterre est achevée, ce sont des adultes, nous les connaissons. Mais connaissons-nous l'Allemagne ? Se connaît-elle elle-même ? Sait-elle ce qu'elle veut devenir quand elle sera grande ? Gombrowicz joint au chœur son chuchotement pour évoquer encore "une autre finalité de l'homme, sans nul doute beaucoup plus mystérieuse et en un sens illégale : son besoin d'inachèvement... d'imperfection... d'infériorité... de jeunesse..." et aujourd'hui, en cette dernière semaine de mon séjour ici, je comprends ses paroles, elles valent aussi pour ce pays. Au bout de tant de siècles, il n'existe encore aucune définition de l'Allemagne, elle reste une énigme. Dans son dernier livre, *Die Schere* ("Les Ciseaux"), Ernst Jünger médite sur ce mot et y voit “un terme commun aux Grecs et aux Romains pour désigner le mystère, le secret, l’énigmatique, c’est l’*en-soi* de Kant, l’être inconnaissable, c’est, dans la traduction de Luther, *le mot obscur*”. L’Allemagne, mot obscur, énigme intellectuelle derrière un rideau de puissance et de succès matériel, pays dont on tente la lecture.

Je me rappelle une image de Dresde, un homme planté devant une autre image, une sculpture qu’il fixait avec intensité, comme pour la déchiffrer. C’était un jour plombé, pluvieux, avec d’étranges percées d’un soleil fatal qui faussaient toutes choses. La sculpture était une tête de héros sur un fronton qui, arraché à son contexte, reposait tout bonnement par terre, au voisinage du château. Inachèvement, je vous l’avais bien dit : frontons à terre, Checkpoint en l’air, murs culbutés, tout s’écroule. L’homme me tournait le dos, mains croisées, on voyait qu’il réfléchissait. Son ombre s’étendait, petite, à ses côtés comme un animal familier et tous deux avaient, autant que moi, matière à réflexion. Je venais de voir les ruines de l’église Notre-Dame, et parmi elles une statue noircie de Luther, tenant un livre ouvert qui ne pouvait être que sa propre traduction de la Bible. Posté devant une sorte de baraque de chantier, Luther paraissait jeune et plus mince que d’ordinaire, comme si cette guerre encore visible lui avait fait perdre quelques kilos de pierre. Une couronne calcinée s’enroulait à ses pieds, à l’arrière-plan un ange d’or dansait sur une jambe au sommet d’une coupole qui ressemblait à un fruit tropical pelé. Par une association d’idées gratuite, je songeais aux rapports unissant cet homme, Luther, aux ruines qui l’entouraient, à son antisémitisme, au rôle capital de sa traduction de la Bible, qui avait forgé la langue allemande à partir de ses différents dialectes et formé ainsi le point de départ de la nation allemande, à l’indémontrabilité de mes pensées inachevées et vagabondes, à leur frivolité, puisque tout, dans l'histoire, entretient des rapports avec tout et que l'obscurité ancienne doit souvent porter le poids de la faute ultérieure. Mais les ruines, elles, n'étaient pas frivoles, le noir qu'y avait déposé la pollution atmosphérique donnait l'impression que ces murs brisés et éclatés, ces colonnes, ces pendentifs, ces chapiteaux, ces pierres, ces arcs étaient couverts de lave, que le mal n'était pas venu d'en haut, d'un ennemi exterminateur et vengeur, mais de l'incandescence d'un monde souterrain.

Nulle part les détails architecturaux n'apparaissent mieux que dans les ruines, l'ornementation conçue pour un ensemble n'exprime plus qu'elle-même, l'atrocité d'une ruine découle directement de la beauté de ses absurdes éléments. Peut-être était-ce cela, les hiéroglyphes divins de Hamann : architraves et archivoltes, moulures en talon, arcs rampants, privés de leur fonction, ils émergeaient des gravats, ridicules ou splendides – et comme de coutume, avant la fin du jour, le hasard m'apporta un écho, une rime à mes pensées, car je découvris chez un bouquiniste un livre sur la Première Guerre mondiale, *Das Antlitz des Weltkrieges*, "Le Visage de la Grande Guerre", publié en 1930 par Ernst Jünger. Luther, Jünger, Hamann, Herder, rien de commun et tout en commun, figures allemandes d'une interminable chaîne d'esprits que l'on peut évoquer les nuits d'insomnie, quand on pense à l'Allemagne. *Im Kriege selber ist das Letzte nicht der Krieg*, "Dans la guerre même, la fin n'est pas la guerre", lit-on en exergue du livre de Jünger, mais cette maxime oraculaire n'est pas de lui, elle vient de Schiller (dans *les Piccolomini*). Mais le ton est donné, le voile mystique qui caractérise une large part de l'œuvre de ce chaman-samouraï qu'est Jünger et qui en obscurcit la lucidité. L'homme capable de jeter tant de clarté sur les énigmes en est une lui-même. Profondeur delphique, architecture des élytres, inventeur d'une humanité où liberté et obéissance coïncideraient, sinistre Faust qui continuait, sur le papier, à façonner son "type" sous les traits d'un robot utopique alors qu'existaient déjà, autour de lui, des êtres de chair et de sang pour qui la liberté se réduisait depuis longtemps à de l'obéissance et qui portaient un signe sur le bras, grand écrivain et hôte de collaborateurs, ermite et symbole de contradiction – il me plonge toujours dans la perplexité. Lorsqu'un soir, à Berlin, je laisse tomber son nom devant un groupe de philosophes et de jeunes universitaires, l'un de ceux-ci me foudroie du regard et, tendant les mains vers moi dans un geste de conjuration, s'écrie : *Vade retro, Satanas !* – mais à la fin de la soirée, ce même exorciste s'en va en portant sous le bras la dernière biographie de Jünger. Le livre que j'ai acheté est en caractères gothiques et cela aussi, pour un non-Allemand, revêt une valeur affective difficilement concevable pour les Allemands eux-mêmes, surtout si, comme dans ce volume, les titres de chapitres sont en majuscules et vous donnent l'impression de déchiffrer des runes : "Départ pour le front", "Le dernier acte" "Feu roulant*", mais sur les photos qui accompagnent le texte, je ne réussis à voir ni les "princes des tranchées au visage dur et résolu", ni "une race de guerriers plus pure et plus intrépide**", forgée à l'épreuve du feu. Comme toujours, je ne vois que des photos d'atrocités, encore accentuées par la technique ancienne qui rend l'horreur plus absurde (chacun est déjà scellé dans sa mort) et qui dégrade les antiques chars déchiquetés par l'artillerie,

* En allemand dans le texte : *"Fahrt zur Front", "Der letzte Akt", "Trommelfeuer". (N.d.T.)*

** En allemand dans le texte : *"Fürsten des Grabens mit den harten, entschlossenen Gesichtern" ; "reinere, kühnere Kriegertum". (N.d.T.)*

les chevaux crevés, les hommes englués dans la boue, les êtres vivants dans les ruines, les baïonnettes dans la neige, les colonnes anonymes dans le paysage stupéfié, en les réduisant à une catégorie esthétique d'où la souffrance et l'humiliation se sont évaporées et où les héros sont devenus des victimes à qui l'on a ravi jusqu'à leur mort. Peut-être un homme comme Jünger, un survivant drapé d'idéaux médiévaux et chevaleresques ou de leur écho romantique, et doué en même temps d'un regard glacial et moderne sur notre nature de mutants soumis au totalitarisme de la technique, était-il le seul à pouvoir incarner et décrire aussi parfaitement les contradictions de cet âge de fer, mais à cause, précisément, de la perfection étincelante et de l'efficacité de son écriture, je ne puis me défaire de l'image du cavalier d'une apocalypse glacée, monté naturellement sur un cheval blanc, traversant au galop un champ de bataille infini jonché de cadavres anonymes peints par Bacon, indifférent à son propre sort ou à celui des autres, un aveugle voyant – au sens propre des mots – car, si je ne me complais pas à cette pensée, je ne vois plus qu'un monsieur d'âge mûr qui se promène en civil dans le Paris de l'occupation, qui lit le psaume quatre-vingt-dix après son petit déjeuner et fouine chez les bouquinistes, qui étudie la géométrie des ailes de papillon et, dans la même page de son journal, passe sans transition de la valeur esthétique d'un bombardement au quatrième acte de *Don Juan*, méditant sur les ciseaux comme symbole de l'unité des contraires, achetant un petit bibi pour une modiste de "type méditerranéen", abîmé en contemplation devant le lis tigré posé sur son bureau, cogitant à propos de "la force qui peut briser les fleurs" et autres paradoxes du "mur du temps", puis allant rendre visite à des dames fortunées ou à des écrivains que nous qualifierions de traîtres parce que, sous Pétain, ils ont choisi le parti de l'ennemi au moment même où leurs compatriotes juifs étaient expédiés par la police de Vichy vers cette Allemagne dont ce vieux monsieur peut-être un tantinet excentrique – dans la ville occupée, il conserve au fond de sa garde-robe un uniforme du pays en question mais caresse en ce moment avec une grande jouissance esthétique vingt volumes de Saint-Simon – dit à la fin de son livre : "Car la puissance de l'Allemagne occulte est grande, et l'inquiétude du monde, depuis la Grande Guerre, l'a bien plus rapidement reconnue que l'Allemand lui-même*." Et c'est encore vrai tout en n'étant plus vrai.

Devant moi se profile la fin provisoire des imbrications, des questions, des paradoxes. La monnaie de l'Est afflue dans celle de l'Ouest, la frontière s'évapore, un hymne national se dissout dans l'autre, les ambassades de Berlin-Est se ratatinent, dans six mois ce seront les élections, le repli stratégique des mots "est" et "ouest" sur leur signification primitive, l'envahissement de la carte par une couleur unique, le mariage chimique d'un citoyen de Cologne avec une citoyenne de Weimar, leur union platonique dans la citoyenneté de la seule Allemagne qui subsistera alors, le long bercement de ce citoyen nouveau dans les bras de l'Europe, dont aucun pays ne peut plus s'échapper sans se blesser lui-même.

Je vais fêter mon départ dans les mélancoliques jardins de San-Souci, et pour m'y rendre je passe par le pont de Glienicke, le pont de Smiley. Un vrai temps d'espion, des averses, coupées de rayons de soleil au ton de vanille. Sur mon chemin je rencontre une caravane de Russes, une

* En allemand dans le texte : *"Denn die Macht des geheimen Deutschlands ist gross, und die Sorge der Welt hat dies nach dem grossen Kriege weit eher erkannt als der Deutsche selbst." (N.d.T.)*

longue traînée d'hommes à pied, portant des pelles. A les voir, on les croirait en route depuis des jours, mais c'est impossible car ils n'ont pas de paquetage. Je suis obligé de m'arrêter pour les laisser traverser, je les vois bien car la colonne passe lentement, il y a quelque chose d'extraordinairement antique dans cette multitude en marche, ces visages venus de tous les coins de l'Empire, Kirghiz, Ouzbeks, Russes, les grandes masses de l'Orient. A quoi pensent-ils ? Les casquettes trop grandes sont rejetées sur l'oreille, parfois les hommes sourient en regardant à l'intérieur de la voiture, mais je suis incapable de lire leurs pensées. Ils se sont déjà partiellement retirés de Hongrie, de Tchécoslovaquie, ici ils vont rester encore un moment, ni logement ni travail ne les attendent chez eux, ici les changements sont déjà visibles dans un monde qui se dérobe au leur. Quels souvenirs, quels jugements emporteront-ils bientôt chez eux, et quelles déformations ceux-ci subiront-ils avant de nous revenir, défi bien plus énorme que l'unité allemande ?

J'ai garé ma voiture et je marche dans les jardins de Frédéric le Grand. La pluie tambourine sur mon parapluie, les distances entre les corps de bâtiments sont gigantesques, elles me rapetissent, homoncule perdu dans l'orgie des rhododendrons, petit personnage dessiné sous les arcatures classiques, s'abritant sous la forêt symétrique des colonnes. Temps allemand, après-midi clairvoyant, netteté visuelle de tous les objets, le petit rameau vert qui se détache de l'écorce du tilleul, le chapiteau corinthien éraflé de la ruine, l'ange rongé, décapité, sur le perron, le vain escalier à double révolution du Belvédère qui débouche sur le vide, le mulot mort qui continue à dire son mot dans la boue. Chaussé des patins de rigueur, je valse sur le parquet ciré de la salle de bal du Nouveau Palais mais le rococo me donne le tournis, je glisse en silence à travers la salle de Chasse et la chambre des Dames et je songe au jeune prince qui, sur l'ordre de son père, fut emmené sous bonne garde à Küstrin (Kostrzyn) par cette route nationale 1 toujours en service aujourd'hui, et fut contraint d'assister là-bas à l'exécution de son ami Hans von Katte, coupable d'avoir voulu l'aider dans sa tentative malheureuse d'évasion. Dehors il continue à pleuvoir, un Maure domine du regard la nature contrefaite, taillée pour obéir à l'ordre, et brandit sa lampe à trois branches en direction d'un ciel de plomb, il est accompagné d'une femme démantelée, nue, sans tête elle non plus, mains réduites à des tiges de fer rouillées, attitude alanguie, mont de Vénus maculé par l'invisible suie qui tombe des airs – le grand roi ne reconnaîtrait plus son palais. Sous les rangées d'arbres qu'il connut arbrisseaux, frêles *plants*, je gagne l'orangerie, le pavillon d'or, les pâquerettes piquent les gazons de leur moisissure, au loin j'entends des trains et des corbeaux, mon année allemande est finie, je vais prendre congé de mes amis et m'en aller sans partir, à cause des souvenirs que j'emporte et de ceux que je laisse et, quand je reviendrai, tout sera différent et pourtant identique, et à jamais changé.

30 juin 1990

Goethe et Schiller, Weimar.

POSTFACE

Du début de 1989 à juin 1990, à l'exception de mon séjour estival habituel en Espagne, j'ai résidé à Berlin à l'invitation du DAAD, *l'Office d'échanges universitaires allemand. Les chroniques retraçant cette période d'abord calme, puis extrêmement mouvementée, ont paru dans la presse néerlandaise, l'hebdomadaire,* Elsevier *pour les chroniques 1 à 9 et le quotidien* De Volkskrant *pour les chroniques 10 à 15, ainsi que dans diverses publications allemandes.*

J'ai quitté l'Allemagne à la fin du mois de mai 1990 et c'est donc à cette date arbitraire que mon livre s'achève. Ce qui s'est passé depuis et se passe encore en Allemagne et à Berlin, je le suis au jour le jour, mais de loin. J'écris ces lignes à la fin du mois de septembre. Peut-être, rétrospectivement, préférerai-je avoir formulé différemment certaines choses, mais j'estime que je n'ai pas le droit de m'introduire par effraction dans mon compte rendu de l'époque. Et puis, en règle générale, je continue à être d'accord avec moi-même, y compris lorsque, le cas échéant, j'ai tort. Les dates figurant au bas des chroniques sont toujours les dates de publication.

Je voudrais tout d'abord exprimer mes remerciements à Barbara Richter et au Dr Joachim Sartorius du DAAD, *ainsi qu'aux autres collaborateurs de cette institution qui m'ont assisté durant mon séjour à Berlin. Ensuite, une fois de plus, à W.L. Brugsma, pour ce premier voyage à*

Berlin, dans le temps, et à Armando et Tony, pour leur amitié et leur révélation de maints secrets spatio-temporels berlinois ; au Dr Rüdiger Safranski, à Roland Wiegenstein et à Arno Widmann, pour avoir apporté des réponses à des questions impossibles, à M. Egbert Jacobs, dernier ambassadeur des Pays-Bas en RDA, *et enfin à Simone Sassen, avec qui j'ai vécu cette commune aventure. Sans ses photos ce livre ne serait pas ce qu'il est, sans sa présence cette année n'eût pas été la même.*

CEES NOOTEBOOM,
Es Consell, Sant Lluis, septembre 1990.

TABLE

Ouvrage réalisé par les Ateliers graphiques Actes Sud. Photocomposition : Société I.L., à Avignon. Achevé d'imprimer en octobre 1990 par l'Imprimerie Bussière à Saint-Amand-Montrond sur papier des Papeteries de Jeand'heurs pour le compte des éditions ACTES SUD Le Méjan 13200 Arles. Dépôt légal 1re édition : novembre 1990
N° impr. 3390.

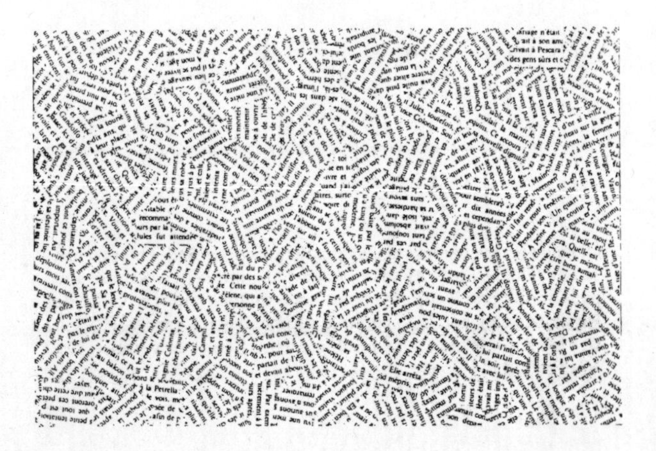